ELexprés
Nueva edición

Curso intensivo de español

Raquel Pinilla

Alicia San Mateo

SGEL

Primera edición, 2016
Segunda edición, 2016
Produce: SGEL – Educación
Avda. Valdelaparra, 29
28108 - Alcobendas (Madrid)

© Raquel Pinilla, Alicia San Mateo
© Sociedad Española de Librería, S. A., 2016

Dirección editorial: Javier Lahuerta
Coordinación editorial: Jaime Corpas
Edición: Ana Sánchez
Corrección: Belén Cabal

Diseño de cubierta: Thomas Hoermann
Diseño de interior y maquetación: Verónica Sosa

Ilustraciones: Miguel Can: pág. 7 (dibujos); pág. 12 (dibujos); pág. 14 (planos); pág. 18 (dibujos); pág. 20 (dibujos); pág. 26 (dibujos); pág. 34 (dibujos); pág. 36 (mapa); pág. 37 (dibujos); pág. 41 (dibujo); pág. 44 (dibujo); pág. 45 (dibujos); pág. 48 (dibujos); pág. 54 (dibujos); pág. 56 (dibujos); pág. 61 (dibujos); pág. 64 (dibujos); pág. 77 (dibujos); pág. 81 (dibujos); pág. 91 (dibujo); pág. 92 (dibujo); pág. 97 (dibujo); pág. 98 (dibujos); pág. 105 (dibujos); pág. 109 (dibujos); Shutterstock (resto de ilustraciones y cartografía).

Fotografías: CORDON PRESS: pág. 4 foto estudiantes; pág. 17 foto rebajas; pág. 21 fotos 1 a 6; pág. 22 fotos 2, 3, 4, 5, 7; pág. 28 fotos The Beatles y foto Penélope Cruz; pág. 30 fotos 1, 4 y 6; pág. 31 fotos actividad 10; pág. 40 foto actividad 2; pág. 42 fotos actividad 7 y foto Alejandro Amenábar; pág. 58 foto actividad 6; pág. 61 foto 5; pág. 66 fotos actividad 5; pág. 67 foto actividad 9; pág. 68 foto Alejandro Sanz; pág. 70 foto 3; pág. 73 foto casa y foto niños; pág. 78 foto actividad 7; pág. 82 fotos 5 y 6; pág. 85 foto niños; pág. 88 fotos 1, 3, 5 y 6; pág. 89 foto actividad 5; pág. 93 foto Elsa Pataky; pág. 102 foto actividad 6; pág. 105 fotos actividad 5; pág. 107 fotos hombre y mujer; RAQUEL PINILLA: pág. 24 foto actividad 2; pág. 25 foto actividad 6; SHUTTERSTOCK: Resto de fotografías, de las cuales, solo para uso de contenido editorial: pág. 10 foto 1 (Maxisport / Shutterstock.com), foto 2 (Francisco Turnes / Shutterstock.com), foto 3 (Jaguar PS / Shutterstock.com), foto 4 (Helga Steb / Shutterstock.com), foto 5 (Featureflash / Shutterstock.com), foto 6 (D. Free / Shutterstock.com), foto 7 (Francisco Turnes / Shutterstock.com), foto 8 (s.bukley / Shutterstock.com), foto 9 (s.bukley / Shutterstock.com); pág. 15 foto Gijón (Villorejo / Shutterstock.com); pág. 17 foto Museo del Louvre (Kiev Villorejo / Shutterstock.com), foto cine (Radu Berca / Shutterstock.com), foto Banco de España (Arseniy Krasnevsky / Shutterstock.com); pág. 30 foto 2 (Tinseltown / Shutterstock.com), foto 4 (Creative Photo Corner / Shutterstock.com); pág. 43: foto Pablo Picasso (Bangkokhappiness / Shutterstock.com), foto Javier Bardem (s_Bucley / Shutterstock.com), foto actividad 11 (Kamira / Shutterstock.com); pág. 59 foto actividad 9 (Elena Dijour / Shutterstock.com); pág.62 foto 1 (Joe Seer / Shutterstock.com); pág. 65 fotos feria de Abril (Javarman / Shutterstock.com); pág. 70 foto 6 (Elena Frolova / Shutterstock.com); pág. 71 foto 1 (McCarthy's PhotoWorks / Shutterstock.com), foto 4 (AGIV / Shutterstock.com); pág. 79 foto Vitoria (A. Hanmon / Shutterstock.com); pág. 90 foto actividad 7 (Ana Tamila / Shutterstock.com); pág. 94 foto texto 1 (Oriontrail / Shutterstock.com); pág. 100 foto mural (Mclein / Shutterstock.com), foto retrato (Iryna / Shutterstock.com), foto escultura (Vividrange / Shutterstock.com); pág. 101 foto 1 (Ivan abramkin / Shutterstock.com), foto 2 (Tichr / Shutterstock.com); pág. 103 foto arte urbano (Leonard Zhukovsky / Shutterstock.com).

Para cumplir con la función educativa del libro se han empleado algunas imágenes procedentes de internet.

Impresión: Gómez Aparicio Grupo Gráfico
ISBN: 978-84-9778-919-6
Depósito legal: M-6057-2016
Printed in Spain – Impreso en España

Contenidos

En la biblioteca

1 Lee el siguiente anuncio y contesta a las preguntas.

CONTACTOS

¡Hola! Mi nombre es Eva y soy noruega. Ahora estudio español. Busco amigos/-as para hablar en español.

Tel.: 654 987 623

1 ¿Cómo se llama?

_____

2 ¿De dónde es?

_____

3 ¿Qué hace?

_____

2 Relaciona. ¿Masculino o femenino?

mano
problema
taxi
ordenador
radio
día
la / una   el / un
bar
idioma
estación
universidad
biblioteca
fútbol
hotel
aeropuerto

3 Completa las siguientes frases con el artículo determinado *el / la / los / las* o el artículo indeterminado *un / una / unos / unas*, según corresponda en cada caso.

1 Francisco es médico y trabaja en _____ Hospital de San Pablo.

2 Sevilla es _____ ciudad fantástica para trabajar, como Madrid y Barcelona.

3 Necesito _____ taxi para ir al aeropuerto.

4 Para mí, _____ alemán es un idioma difícil de aprender.

5 Pablo y yo estudiamos en _____ Universidad Menéndez y Pelayo en Santander.

6 ¿Tu amigo Alberto trabaja en _____ hotel o en _____ bar?

7 ¿Cuál es _____ correo electrónico de Enrique?

8 ELExprés es _____ libro de español que usamos en este curso.

9 ¿Cuáles son _____ países miembros de la Unión Europea?

10 En esa web organizan _____ viajes por Asia fantásticos por poco dinero.

11 ¿Cuáles son _____ tres ciudades más grandes de España?

12 _____ taxis de Barcelona son negros y amarillos.

4 Escribe el plural de estas palabras.

1 El chico francés   *Los chicos franceses*
2 Un profesor   _____
3 Un amigo ruso   _____
4 El taxi   _____
5 La factura   _____

6 Un ratón   _____
7 La radio   _____
8 El ordenador   _____
9 Una compañera   _____
10 El país   _____

5 Completa la siguiente tabla.

masculino singular	femenino singular	masculino plural	femenino plural
español		españoles	
	francesa		francesas
		suecos	
	japonesa		
		brasileños	
			portuguesas
	belga		
	suiza	suizos	
			marroquíes

6 Lee la información de las siguientes personas y escribe sus datos utilizando los verbos: *ser, llamarse, estudiar, trabajar* y *hablar* en primera persona.

Nombre: Anita Shell.
País: Alemania.
Idiomas: alemán, inglés y español.
Profesión: Estudiante de Física en la universidad.
Correo electrónico: antshell@gmail.com
Me llamo...
_____
_____
_____
_____

Nombre: Peter Britt y James Wells.
País: Australia.
Idiomas: inglés, chino y ruso.
Profesión: Trabajadores en un banco.
Correo electrónico: peterbritt@nit.dc • jameswells@hux.dc
_____
_____
_____
_____

7 Completa los diálogos escribiendo la pregunta correspondiente.

1 ▪ _____
  ● Natasha.

2 ▪ _____
  ● N-A-T-A-S-H-A.

3 ▪ _____
  ● De San Petersburgo.

4 ▪ _____
  ● Estudio español en la Universidad de Salamanca.

5 ▪ _____
  ● Ruso, inglés y español.

6 ▪ _____
  ● natmeg@mere.com

8 Completa la tabla con los verbos en presente de indicativo.

	llamarse	estudiar	trabajar	hablar	ser	hacer
yo	*me llamo*					
tú		*estudias*				
él, ella, usted			*trabaja*			
nosotros/-as				*hablamos*		
vosotros/-as					*sois*	
ellos, ellas, ustedes						*hacen*

9 Completa los diálogos con los verbos entre paréntesis.

1 ▪ Yo (ser) _____ de Francia, pero mi amigo (ser, él) _____ coreano. Y tú, ¿de dónde (ser) _____?
  ● Japonés, de Tokio.

2 ▪ ¡Hola! Soy Juan. ¿Cómo (llamarse, tú) _____?
  ● (Llamarse, yo) _____ María.

3 ▪ Mis amigos y yo siempre (usar, nosotros) _____ internet para buscar información sobre viajes.
  ● Sí, es una buena idea.

4 ▪ Y vosotros, ¿cuántas horas de español (estudiar) _____ cada día?
  ● Solo una.

5 ▪ Luis, te (presentar, yo) _____ a Alejandro Sanz, el cantante pop.
  ● ¡Encantado!

6 ▪ Mis padres (organizar, ellos) _____ unos viajes fantásticos para el verano.
  ● Yo también (viajar) _____ siempre en verano.

7 ▪ ¿Cuál (ser) _____ la dirección de internet de la editorial SGEL?
  ● ¿De SGEL? www.sgel.es/ele

8 ▪ ¿Qué (hacer) _____ Julia?
  ● Estudia Turismo y (trabajar) _____ en un restaurante los fines de semana.

10 Completa la inscripción a una biblioteca con tus datos.

BIBLIOTECA **AGUSTÍ CENTELLES**

Nombre y apellidos _____

Nacionalidad _____

Correo electrónico _____

Profesión / Estudios _____

C/ Roselló, 127 ● 08029 Barcelona ● Tel.: 93 433 43 44

11 Deletrea estas palabras.

1 anuncio *a – ene – u – ene – ce – i – o*
2 correo electrónico _____
3 empleado _____
4 Argentina _____
5 comunicación _____

6 apellido _____
7 japonés _____
8 queso _____
9 universidad _____
10 [tu nombre] _____

12 Deletrea estas direcciones de correo electrónico.

1 alicvergara@gmail.com _____
2 pakayona@nit.dc _____
3 georgbrull@hux.dc _____

13 Escribe el saludo que corresponde a cada hora del día.

Buenos días • Buenas tardes • Buenas noches

1 _____

2 _____

3 _____

4 _____

14 Completa los diálogos.

¿Cómo _____ "ordenador" en Hispanoamérica?

"Computadora"

a

¿Cómo _____ tu nombre?

Hache - a - ene - ese. Hans.

b

¿Qué _____ hablas?

Yo hablo inglés y alemán.

c

2 Busco estudiante para compartir piso

1 Selecciona seis de los verbos que aparecen en el "Tablón de anuncios" y escribe una frase con cada uno.

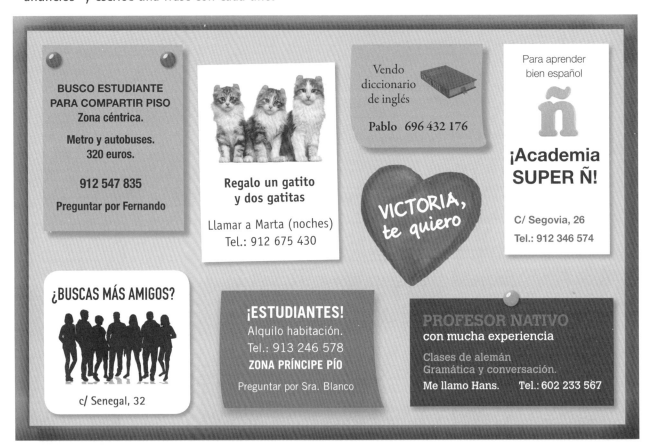

BUSCO ESTUDIANTE
PARA COMPARTIR PISO
Zona céntrica.

Metro y autobuses.
320 euros.

912 547 835

Preguntar por Fernando

**Regalo un gatito
y dos gatitas**

Llamar a Marta (noches)
Tel.: 912 675 430

Vendo
diccionario
de inglés

Pablo 696 432 176

Para aprender
bien español

ñ

**¡Academia
SUPER Ñ!**

C/ Segovia, 26

Tel.: 912 346 574

VICTORIA,
te quiero

¿BUSCAS MÁS AMIGOS?

c/ Senegal, 32

¡ESTUDIANTES!
Alquilo habitación.
Tel.: 913 246 578
ZONA PRÍNCIPE PÍO

Preguntar por Sra. Blanco

PROFESOR NATIVO
con mucha experiencia

Clases de alemán
Gramática y conversación.
Me llamo Hans. Tel.: 602 233 567

1 _____   4 _____

2 _____   5 _____

3 _____   6 _____

2 Completa la tabla con los verbos en presente de indicativo.

	aprender	vivir	tener
yo	aprendo		
tú		vives	
él, ella, usted			tiene
nosotros/-as	aprendemos		
vosotros/-as		vivís	tenéis
ellos, ellas, ustedes			

3 Completa los diálogos con los verbos entre paréntesis.

1 ■ ¿Dónde (vivir, ellas) _____ las chicas de Brasil?
   ● Cerca de aquí, (ser, ellas) _____ vecinas de Emilio y (compartir, ellas) _____ piso con Andrea.

2 ■ "(Vender, nosotros) _____ libros usados en buenas condiciones".
   ● Esta es una buena oportunidad para comprar libros baratos, ¿verdad?

3 ■ ¿Qué (hacer, vosotros) _____ el próximo fin de semana?
   ● Marga y yo (tener, nosotros) _____ una fiesta en el piso de Ralph.

4 ■ La profesora a los estudiantes: ¡Muy bien, chicos! ¡(Aprender, vosotros) _____ muy rápido!

5 ■ "El tren con destino a Bilbao (salir) _____ a las 13.45".
   ● Bueno, ya sabemos la hora definitiva.

6 ■ ¿Cuántos años (tener, tú) _____?
   ● Doce, el mes que viene (cumplir, yo) _____ trece.

7 ■ Mi amiga Marta me (mandar, ella) _____ todos los días un correo electrónico.
   ● Pues a mí, mis amigos me (escribir, ellos) _____ _____ muy poco.

4 Completa los diálogos con *del / al / de la / a la.*

1 ■ ¿Dónde está tu casa, Beatriz?
   ● Está cerca _____ metro Legazpi.

2 ■ ¿Hacia dónde da la ventana de tu habitación?
   ● Da _____ patio interior, no a la calle.

3 ■ ¿Cuánto cuesta la Academia Super Ñ?
   ● Son 25 euros _____ semana, es decir, 100 euros _____ mes.

4 ■ Oye, ¿quién es ese señor, el que tiene barba?
   ● Es el director _____ Escuela Oficial de Idiomas, es amigo de mi padre.

5 Estás interesado en alquilar una habitación en un piso y necesitas más información. Escribe las preguntas necesarias para pedir cada una de las siguientes informaciones.

1 La dirección _____
2 El precio _____
3 Número de personas en la casa _____
4 Distancia del metro _____

6 Fíjate en los siguientes adjetivos, ¿cuáles son variables –o/–a y cuáles invariables?

guapo • céntrico • bueno • difícil • libre • tranquilo grande • independiente • natural • ocupado pequeño • residencial

Adjetivos variables –o/–a	Adjetivos invariables –e y consonante
guapo/-a	

7 Completa la tabla con el género y el número de los siguientes adjetivos.

	Masculino plural	Femenino plural
nativo		
extranjero		
grande		
libre		
alto		
pequeño		
residencial		
tranquilo		
rubio		
difícil		

8 Relaciona estos sustantivos con alguno de los adjetivos de la tabla anterior. Puede haber más de una posibilidad, escríbelas todas.

1 Unas profesoras _____
2 Una casa _____
3 Un estudiante _____
4 Una habitación _____
5 Una chica _____

6 Unas zonas _____
7 Unos pisos _____
8 Un taxi _____
9 Unos ejercicios _____
10 Unos chicos _____

9 ¿Sabes quiénes son? Fíjate en las siguientes imágenes de famosos hispanos y escribe el nombre de cada uno de ellos.

Plácido Domingo • Shakira • Salma Hayek • Leo Messi
Pau Gasol • Gerard Piqué • Penélope Cruz
Javier Bardem • Pedro Almodóvar

1 _____
2 _____
3 _____

4 _____
5 _____
6 _____

7 _____
8 _____
9 _____

10 Lee los siguientes textos que describen a cinco de los personajes anteriores. Escribe al lado de cada uno el número de la foto a la que corresponde.

a ☐ Es colombiana, su popularidad está relacionada con su profesión y también por ser la pareja de un famoso futbolista. Es muy guapa, tiene el pelo largo, rubio y rizado.

b ☐ Es español y tiene un óscar. Su mujer es una actriz española también muy famosa. Tiene el pelo corto, moreno, lleva barba. Tiene una estrella en el Paseo de la Fama de Hollywood.

c ☐ Es una actriz mexicana. Es morena, tiene el pelo largo, oscuro y un poco rizado. No es alta, mide 1,57 m. Una de sus películas más famosas es *Frida* que narra la vida de Frida Kahlo, la famosa pintora mexicana.

d ☐ Es uno de los españoles más altos y el segundo que juega en la NBA. Es moreno, lleva barba y tiene el pelo corto. Su hermano Marc también juega al mismo deporte.

e ☐ Es español. Tiene el pelo corto, gris, lleva barba y gafas. Normalmente actúa en los teatros más importantes de todo el mundo.

11 Completa con verbos la descripción de Fernando y escribe la de Beatriz.

FERNANDO

Se llama Fernando y **(1)** _____ veinticinco años. **(2)** _____ en Madrid, en la calle Luisa Fernanda. Ahora **(3)** _____ una habitación libre en su casa y **(4)** _____ a alguien para compartir el piso.
Fernando **(5)** _____ alto y delgado y **(6)** _____ gafas solo para leer.

BEATRIZ

12 Relaciona los diferentes tipos de lugares para vivir con su definición. Hay dos definiciones que no corresponden a ningún lugar de los que aparecen en la lista.

1 apartamento	a Es una vivienda unifamiliar que no tiene vecinos a los lados.
2 departamento	b Es una vivienda que no tiene dormitorios.
3 edificio	c Es una vivienda con dos o más dormitorios.
4 casa independiente	d Es como se llaman a los pisos en muchos países hispanoamericanos.
5 zona residencial	e Es lo mismo que una pieza en algunos países hispanoamericanos.
6 chalé adosado	f Es una zona verde que hay en el exterior de las viviendas unifamiliares.
7 piso	g Es una casa que tiene jardín y vecinos a los lados.
8 habitación	h Es un lugar donde hay viviendas, normalmente chalés y casas adosadas pero también puede haber pisos.
	i Es una construcción que tiene varios pisos.
	j Es una vivienda con un dormitorio.

13 Lee de nuevo el texto *Viviendas para vivir* y escribe dónde crees que viven estas personas.

1 _____

2 _____

3 _____

14 La casa de James. James es un chico inglés que vive y estudia español en una ciudad española. Las siguientes imágenes corresponden al lugar en el que vive James. Escribe un pequeño texto describiendo la ciudad, el tipo de vivienda y las características que tiene su casa.

No vivo lejos de aquí

1 Completa las frases con *está(n)* o *hay*.

1 En el Net Café _____ muchos ordenadores.

2 El apartamento de mi amiga María José _____ lejos de la estación de metro.

3 En el tablón de la clase solo _____ ocho anuncios.

4 La estación de Ópera _____ en la Plaza de Isabel II.

5 ■ Por favor, ¿ _____ una farmacia cerca de aquí?
   ● Sí, _____ una al final de la calle.

6 Los servicios _____ a la izquierda.

7 ■ Perdone, ¿cuántas paradas de autobús _____ hasta la Plaza de España?
   ● Creo que solo dos más.

8 La tienda de ropa _____ al final de la calle, en la acera de la izquierda.

9 ■ Perdona, ¿sabes dónde _____ la calle Leganitos?
   ● Sí, es una calle muy larga que _____ a la derecha.

10 En mi ciudad _____ muchos bares y restaurantes. Es una ciudad muy turística.

2 Observa los dibujos. ¿Qué utilizas para llamar la atención de estas personas: *tú* o *usted*? Escríbelo debajo de cada imagen. Después, elige la expresión adecuada para cada situación.

A _____ B _____ C _____ D _____

1 Un adulto habla con un niño:
   a **Oye / Oiga**, ¿sabes dónde está la escuela?
   b **Perdona / Perdone**, ¿hay una escuela por aquí cerca?

2 Una niña habla con un policía:
   a **Mira / Mire**, nosotros no jugamos con el balón.
   b **Perdona / Perdona**, ¿sabe dónde podemos jugar con el balón?

3 Un joven habla con un hombre mayor:
   a **Oye / Oiga**, ¿hay una farmacia por aquí?
   b **Mira / Mire**, el Museo del Prado está aquí cerca, la segunda calle a la derecha.

4 Un director de una empresa habla con el director de otra empresa:
   a **Perdona / Perdone**, ¿sabe dónde está la Cámara de Comercio en esta ciudad?
   b **Mira / Mire**, nuestra empresa es la más importante del país.

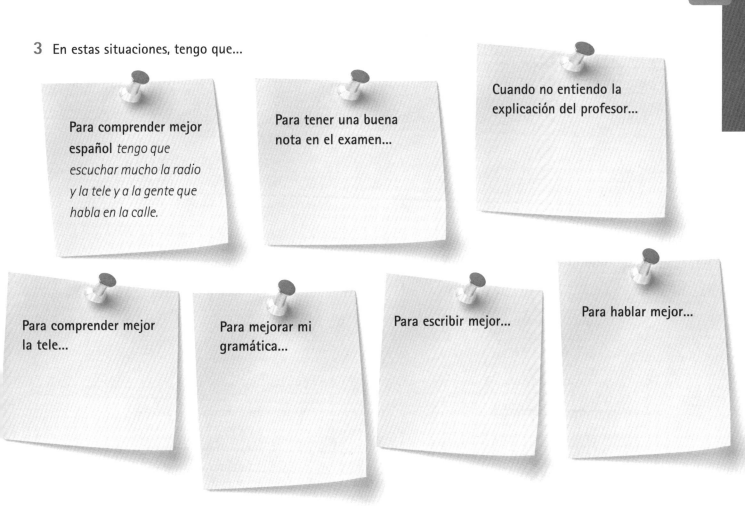

3 En estas situaciones, tengo que...

Para comprender mejor español *tengo que escuchar mucho la radio y la tele y a la gente que habla en la calle.*

Para tener una buena nota en el examen...

Cuando no entiendo la explicación del profesor...

Para comprender mejor la tele...

Para mejorar mi gramática...

Para escribir mejor...

Para hablar mejor...

4 Fíjate en el siguiente plano, tú estás situado en el lugar que marca la flecha negra, unas personas te preguntan cómo ir a unos lugares. Contesta a las preguntas escribiendo las indicaciones necesarias para llegar.

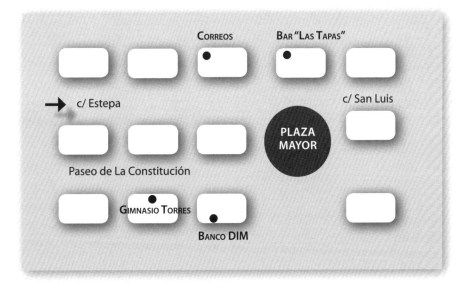

1 Perdone, ¿hay una oficina de correos cerca?

2 Por favor, ¿sabes dónde está el bar "Las Tapas"?

3 Perdone, ¿el gimnasio Torres está cerca de aquí?

4 Por favor, ¿hay un banco cerca?

5 Dibuja un plano esquemático de la zona donde vives. No olvides las estaciones de metro, las paradas de autobús, los comercios, las calles y los parques más cercanos. Escribe la descripción de la zona.

6 Encuentra las ocho diferencias. Después, escribe frases como en el ejemplo.

cerca de / lejos de   al lado de   enfrente de

delante de / detrás de   encima de / debajo de   entre ... y ...

1 *En A hay dos cuadros en la pared y en B hay tres.*

2 _____

3 _____

4 _____

5 _____

6 _____

7 _____

8 _____

7 Escribe con letras los siguientes números.

50 _____   60 _____

15 _____   40 _____

23 _____   31 _____

29 _____   75 _____

5 _____   100 _____

8 Lee el siguiente texto de información turística sobre la ciudad de Gijón y elige la opción correcta.

GIJÓN, tienes que vivirlo

- **Tienes que** venir, en coche, avión, tren o barco, y disfrutar de esta maravillosa ciudad de la costa asturiana. De 139 km² de superficie y unos 280 000 habitantes. **Tienes que** ir a una de sus fantásticas playas, San Lorenzo, Poniente, el Arbeyal, los Mayanes, todas con vistas a la ciudad. Y practicar buceo, vela y/o hacer excursiones en barco.

- **Tienes que** ir de compras por sus calles más comerciales: Corrida, Los Moros, Covadonga, Menéndez Valdés. Pero, sobre todo, **tienes que** visitar el Rastro, los domingos por la mañana, es un mercado donde puedes comprar casi todo: ropa, zapatos, libros, música, sellos, fruta, pan, pasteles, carne...

- **Tienes que** comer en sus magníficos restaurantes, y puedes elegir entre estupendos pescados como la chopa, el tiñosu, los erizos, el pulpo amariscado y, por supuesto no puedes irte sin probar una buena fabada, el plato típico de Asturias. También **tienes que** probar sus deliciosos dulces como las casadiellas y la tarta gijonesa.

Extraído de *Gijón Turismo* http://www.gijon.info

1   Gijón es una ciudad mal comunicada.
    a Verdadero.
    b Falso.
2   Es una ciudad abierta al mar.
    a Verdadero.
    b Falso.
3   Es difícil practicar deportes de agua.
    a Verdadero.
    b Falso.

4   La comida que el texto considera imprescindible probar es:
    a Todos los pescados.
    b La fabada.
    c Los dulces.
5   Al mercado del Rastro puedes ir el domingo a:
    a Las 11h.
    b Las 17h.
    c Cualquier hora.

9 En el texto "Gijón, tienes que vivirlo" aparecen una serie de productos diferentes que puedes comprar en el Rastro. Escribe cada uno de esos productos y el nombre de la tienda en la que los puedes comprar normalmente.

1   *Los sellos en un estanco.*
2   _____
3   _____
4   _____

5   _____
6   _____
7   _____
8   _____

10 Escribe un pequeño texto para promocionar el turismo en tu ciudad o pueblo. Puedes utilizar la estructura *tienes que...*

4 ¿Por qué no vamos los tres?

1 Completa los diálogos con *ir* o *irse*.

■ Uy, es tarde, (1) _____ a mi casa porque tengo que estudiar.

● Sí, yo también. ¿(Tú) (2) _____ a ir a la fiesta de Blas después?

■ Sí, sí, nos vemos allí.

● ¿(Vosotros) (3) _____ a ir al gimnasio esta tarde?

● Pues no sé. Ahora (nosotros) (4) _____ a comer a casa que es muy tarde. ¡Hasta luego!

■ ¿(Nosotros) (5) _____ a comprarle un regalo a Lucía para su cumpleaños?

● Uf, yo hoy no puedo, tengo mucho trabajo, ¡(yo) (6) _____ ahora mismo a la oficina!

2 ¿Qué hora es?

1 _____

2 _____

3 _____

4 _____

5 _____

6 _____

3 Completa la tabla con los verbos en presente de indicativo.

	poder	dormir
yo	*puedo*	
tú		*duermes*
él, ella, usted	*puede*	
nosotros/-as		*dormimos*
vosotros/-as	*podéis*	
ellos, ellas, ustedes		*duermen*

4 ¿A qué hora empiezan las películas?

1 LAS OTRAS
   15:30 _____

2 TODO SOBRE MI PADRE
   19:45 _____

3 MI NOVIA SIEMPRE LLAMA DOS VECES
   22:00 _____

4 LA MANZANA MECÁNICA
   24:00 _____

5 Fíjate en los horarios y completa las preguntas.

De 9.30 a 13.30

1 ▪ ¿_____ las clases?
● A las nueve y media.

De 9.00 a 22.00

2 ▪ ¿_____ el museo del Louvre?
● A las diez.

De 9.15 a 21.30

3 ▪ ¿_____ el supermercado?
● A las nueve y cuarto.

De 16.00 a 17.45

4 ▪ ¿_____ la película?
● A las seis menos cuarto.

6 Lee el siguiente texto y contesta a las preguntas.

HORARIOS DE TRABAJO

En España, los horarios de trabajo son muy diferentes. No tienen el mismo horario una tienda pequeña, unos grandes almacenes o unas oficinas de la Administración Pública.

Las tiendas pequeñas abren por la mañana y por la tarde y, normalmente, cierran al mediodía, durante la hora de la comida. Los grandes almacenes y muchas tiendas de centros comerciales no cierran al mediodía, tienen un horario continuo, desde las diez de la mañana hasta las ocho y media o nueve de la tarde.

En las oficinas de la Administración Pública y en los bancos solo abren por la mañana, de ocho a dos aproximadamente (jornada intensiva). Algunos bancos también abren por la tarde.

En el resto de oficinas y empresas privadas, normalmente se trabaja por la mañana y por la tarde (jornada partida), con una pausa de una hora o dos para comer.

1 Mira las fotos. ¿Qué horario crees que tienen?

a _____
b _____

2 ¿Qué diferencias hay entre los siguientes horarios de trabajo?
Horario continuo: _____
Jornada intensiva: _____
Jornada partida: _____

3 ¿Qué ventajas y desventajas encuentras en la jornada intensiva y en la jornada partida?
Jornada intensiva

_____

Jornada partida

_____

4 Compara estos horarios con los de tu país. ¿Hay diferencias?

_____

7 Fíjate en el calendario y completa los huecos con los días de la semana que faltan.

ENERO						2016
lunes						domingo
				1	2	3
4	5	6	7	8	9	10
11	12	13	14	15	16	17
18	19	20	21	22	23	24
25	26	27	28	29	30	31

8 Imagina que hoy es lunes 11 de enero y escribe los siguientes marcadores temporales en cada caso.

mañana • ~~el próximo lunes~~ • pasado mañana
el fin de semana que viene • la próxima semana
el mes que viene • el próximo verano

1 18 de enero *el próximo lunes*

2 12 de enero _____

3 13 de enero _____

4 16 y 17 de enero _____

5 Del 18 al 24 de enero _____

6 febrero _____

7 julio y agosto _____

9 ¿Y tú, qué planes tienes? Escribe algo que piensas, quieres o vas a hacer. Utiliza los marcadores de la actividad anterior.

1 *El próximo lunes quiero ir al cine con mi hermano porque es el día del espectador.*

2 _____

3 _____

4 _____

5 _____

6 _____

7 _____

8 _____

10 ¿Qué crees que estas personas va(n) a hacer después? Hay más de una posibilidad.

Los chicos van a secarse con las toallas.
Van a tomar el sol.

11 Lee los planes de Marcos para después del verano. ¿Por qué crees que tiene todos esos proyectos?

1 Voy a hacer deporte todos los días.
2 Voy a aprender a bailar flamenco.
3 Voy a dormir una siesta.
4 Voy a estudiar todos los días.
5 Voy a ver más películas en versión original.
6 Voy a ahorrar.
7 Voy a empezar a escribir una novela.

1 *Marcos quiere hacer deporte todos los días porque piensa que ahora tiene unos kilos de más y quiere adelgazar un poco.*

2 _____
3 _____
4 _____
5 _____
6 _____
7 _____

12 Completa los diálogos con los verbos con cambio vocálico (e>ie, o>ue, e>i) entre paréntesis.

1 ■ ¿Qué (querer, tú) _____ , café solo o con leche?
   ● Mejor uno con leche.

2 ■ Oye, ¿a qué hora (empezar) _____ el concierto?
   ● Ahora mismo, en cinco minutos.

3 ■ Mi abuela siempre dice que no (entender, ella) _____ la música moderna.
   ● La mía también (pensar, ella) _____ lo mismo.

4 ■ No (recordar, yo) _____ a qué hora abre el mercado de La Paloma.
   ● Creo que a las nueve y (cerrar) _____ a las dos.

5 ■ ¡Qué pena! No (poder, nosotros) _____ ir a Toledo el sábado que viene.
   ● Pues sí que lo siento.

6 ■ Mira, vámonos, en esta tienda no (encontrar, yo) _____ el perfume que busco.
   ● Creo que lo (tener, ellos) _____ en el centro comercial.

7 ■ "Luis, voy a ir al cine esta noche. Si (poder, tú) _____ o (querer, tú) _____ venir, llámame antes de las siete".
   ● ¡Vaya! He oído tarde el mensaje del contestador, ya son las ocho.

13 Esta es tu planificación para la próxima semana. Unos amigos te proponen unos planes e invitaciones. Tienes que aceptar o rechazar sus propuestas. Si rechazas la invitación tienes que proponer un plan alternativo.

lunes	martes	miércoles	jueves	viernes	sábado	domingo
9-14h clase en la universidad. 14.30h comida con Eva. 17h biblioteca. 20.30h cena en casa de los padres de Sara.	9-14h clase en la universidad. 19h tenis con Adrián.	9-14h clase en la universidad.	16-21h clase en la universidad.	9-13.30h clase en la universidad. 21h partido Barça-Madrid en casa de Antonio y Pablo.		13.30h comida en casa de papis. 19h cine con Eva y Martín.

1 El lunes es el día del espectador. ¿Por qué no vamos al cine por la tarde?
   _____

2 Hay un restaurante japonés muy bueno cerca de mi casa. ¿Quieres ir a cenar el sábado?
   _____

3 Necesito un vestido para la boda de Rafael. ¿Puedes acompañarme de compras el jueves? Yo tengo libre todo el día.
   _____

4 ¿Quieres venir a cenar el viernes a casa de mis padres? Hacen una pequeña fiesta en la terraza.
   _____

14 Teniendo en cuenta tu agenda escribe tres propuestas o invitaciones para tres compañeros de clase.

1 _____
2 _____
3 _____

5 Un día de mi vida

1 Javi tiene quince meses y su madre nos está explicando lo que hace cada día.
Escribe cómo es un día en la vida de Javi.

1 *Javi se despierta sobre las ocho de la mañana.*

2 _____

3 _____

4 _____

5 _____

6 _____

7 _____

8 _____

9 _____

10 _____

11 _____

12 _____

2 Normalmente Javi tiene una vida bastante monótona, pero hoy están pasando algunas cosas diferentes. Completa los espacios con los verbos correspondientes.

Normalmente...
toma el biberón a las 8.00h.
(Jugar) _____ después de desayunar.
(Ir) _____ al parque a jugar.
(Comer) _____ sobre las 13.30 h.
Su padre le (llevar) _____ al parque por la tarde.
(Estar) _____ en casa.

Pero HOY...
está tomando el biberón a las 9.30 h.
(Dormir) _____ .
(Jugar) _____ en casa.
(Comer) _____ más tarde.
Su padre (trabajar) _____ .
(Pasar) _____ el día en casa de sus abuelos.

3 Completa con el verbo teniendo en cuenta si es reflexivo o no.

1 Bañar / Bañarse
a Quiero _____ a los niños antes de las 10 de la noche.
b Quiero _____ antes de acostarme, necesito relajarme.

2 Vestir / Vestirse
a Por las mañanas me _____ en cinco minutos.
b Por las mañanas, cuando _____ a mi hija, necesito más de diez minutos.

3 Peinar / Peinarse
a Ese peluquero _____ a las mujeres más famosas de este país.
b Yo no _____ bien, por eso voy todas las semanas a la peluquería.

4 ¿Qué está(n) haciendo?

1 Afeitarse   **2** Secarse el pelo   **3** Lavarse los dientes

1   *Se está afeitando. Está afeitándose.*
2   _____
    _____
3   _____
    _____

4 Ponerse la ropa   **5** Peinarse   **6** Quitarse la ropa

4   _____
    _____
5   _____
    _____
6   _____
    _____

5 Completa la tabla con los verbos en presente de indicativo.

	levantarse	acostarse	vestirse
yo	*me levanto*		*me visto*
tú		*te acuestas*	
él, ella, usted	*se levanta*		*se viste*
nosotros/-as		*nos acostamos*	
vosotros/-as	*os levantáis*		*os vestís*
ellos, ellas, ustedes		*se acuestan*	

6 ¿Qué actividades te sugieren estas imágenes?

1 *Jugar al fútbol. Practicar deporte.*

5 _____

2 _____
_____

6 _____
_____

3 _____

7 _____

4 _____
_____

8 _____
_____

7 Fíjate en las actividades que aparecen en el ejercicio anterior y escribe cuáles haces tú (o no haces) y con qué frecuencia.

1 *Suelo leer todos los días y casi nunca como en casa.*   5 _____
2 _____   6 _____
3 _____   7 _____
4 _____   8 _____

8 Lee las siguientes informaciones sobre los hábitos de los españoles y responde si son verdaderas (V) o falsas (F). Después, lee los fragmentos de noticias y comprueba tus respuestas.

1 ☐ El 42% de los españoles nunca pasa más de 10 minutos en la ducha.

2 ☐ El 16% de los españoles duerme siempre la siesta.

3 ☐ El 32,5% de los trabajadores suele comer en casa.

4 ☐ Más de la mitad de los españoles no leen nunca o casi nunca.

5 ☐ En España hay más hombres que suelen practicar deporte que mujeres.

Un 42% de los españoles afirman que se duchan cada día, y que lo hacen durante más de 10 minutos, muy por encima del tiempo recomendado por la Organización Mundial de la Salud (OMS), mientras que solo el 9% de los españoles dedica menos de 5 minutos a ducharse.

www.elperiodico.com

Durante los días laborables, más de la mitad de los trabajadores (55,1%) elige comer en un restaurante, y casi el 32,55% prefiere llevarse la comida de casa. Hay que destacar que solo un 1,73% opta por la comida rápida.

www.elboletin.com

Solo un 16% de los españoles duerme la siesta todos los días.

www.elmundo.es

Una de cada tres personas no lee 'nunca' o 'casi nunca', según los datos recogidos por el Centro de Investigaciones Sociológicas. En esta estadística, hay más hombres que no tocan un libro (37,9%) que mujeres (32,1%). El motivo principal para prácticamente la mayoría es que no les interesa o no les gusta leer (42%).

www.lavanguardia.com

El 83% de los españoles realiza deporte habitualmente o de vez en cuando, los hombres (89%) las mujeres (78%). El estudio también revela que el 63% de los individuos que practican deporte lo hace de tres a siete veces por semana.

www.revistafarmanatur.com

9 Imagina que puedes diseñar la programación de una emisora de radio. Piensa en qué programas vas a incluir, con qué contenidos y a qué horas se van a emitir.

PROGRAMAS	CONTENIDOS
Mañana	Música • Cultura • Entrevistas
Tarde	Noticias locales • Actualidad
Noche	Tiempo libre • Tertulias • Humor
	Entretenimiento • Familia y hogar

Me gusta estar en familia

1 Observa la familia de Iris y responde si las siguientes informaciones son verdaderas (V) o falsas (F).

1 ☐ Carlos es su abuelo.

2 ☐ Martín es su hermano.

3 ☐ Alba y Leticia son sus primas.

4 ☐ Julia es su tía.

5 ☐ Alfredo es su padre.

6 ☐ Esperanza es su cuñada.

7 ☐ Iris es la nieta de Alfredo.

8 ☐ Celia es su madre.

2 Ahora hay un nuevo miembro en la familia de Raquel, su hijo Daniel. Imagina cómo describe Daniel a su familia y escríbelo.

¡Hola! Soy Daniel, el pequeñito. En esta foto estoy con la familia de mi mamá. Esta de aquí es...

_____

_____

_____

3 Completa las frases con *gusta* o *gustan*.

1 ■ ¿Te _____ estudiar español?
  ● Sí, claro.

2 ■ Oye, ¿es verdad que a Luis y a ti os _____ las películas de terror?
  ● Por supuesto, son geniales.

3 ■ A mí no me _____ dormir la siesta.
  ● ¿En serio? A mí me encanta.

4 ■ ¿Te _____ estos dibujos?
  ● No mucho, son un poco infantiles, ¿no?

5 ■ No me _____ nada la comida mexicana.
  ● Pues a mí sí, está buenísima.

4 Escribe el presente de indicativo del verbo *preferir*. Después, completa el texto con los verbos entre paréntesis (todos tienen la misma irregularidad e>ie).

Preferir

(yo) _____

(tú) _____

(él, ella, usted) _____

(nosotros/-as) _____

(vosotros/-as) _____

(ellos, ellas, ustedes) _____

Mis padres (pensar, ellos) (1) _____ que vivir en el campo es más sano que vivir en la ciudad y (preferir, ellos) (2) _____ pasar largas temporadas en su casa de Segovia.

Mi padre (despertarse, él) (3) _____ pronto y trabaja en el jardín hasta mediodía. Mi madre (preferir, ella) (4) _____ tomar el sol, por eso (sentarse, ella) (5) _____ en el jardín y lee el periódico o alguna revista.

Su vida en el pueblo es muy tranquila, lo sé, pero yo (preferir) (6) _____ vivir en la ciudad.

5 Completa las frases con el verbo *gustar* o *encantar*.

1 (A mí) _____ ir al cine.

2 (Al director de la escuela) _____ saludar a todos los estudiantes.

3 (A mí) _____ la música clásica.

4 (A mis padres) _____ viajar al extranjero.

5 (A mi mejor amigo-/a) _____ recibir mis correos electrónicos.

6 (A mis amigos y a mí) _____ salir por la noche.

7 (A mí) _____ los fines de semana.

6 Lee esta ficha sobre los gustos de un miembro de la familia de Raquel. ¿De quién crees que habla?

En su tiempo libre le gusta escuchar música *rock*. También le gusta ir al gimnasio, hacer maquetas de aviones y ver a sus amigos del barrio. No le gusta mucho salir por la noche. Prefiere estar en casa y ver una buena película. Le encanta cocinar y, por su trabajo, tiene bastante tiempo libre, trabaja de ocho a tres de la tarde.

Yo creo que el texto habla de _____.

7 Selecciona a un miembro de tu familia y escribe un texto sobre sus gustos y preferencias.

8 Completa con *a mí / yo también, a mí / yo tampoco, a mí / yo sí* o *a mí / yo no.*

1 ■ Yo prefiero el cine al teatro.

● _____

2 ■ No me gustan las películas de ciencia ficción.

● _____

3 ■ Nosotros no comemos carne.

● _____

4 ■ Me encantan los deportes de agua.

● _____

5 ■ No me gusta conducir.

● _____

9 Completa con el adjetivo posesivo que corresponda.

1 Los libros me pertenecen a mí. Son *mis* libros.

2 Alberto vive en esta casa. Esta es _____ casa.

3 Este diccionario os pertenece a vosotros. Este es _____ diccionario.

4 Esta es la profesora que nos da clase. Esta es _____ profesora.

5 ¿Estudias en esa escuela? ¿Esa es _____ escuela?

6 Estos bolígrafos les pertenecen a ellos. Estos son _____ bolígrafos.

7 Soy la hija de Raquel y Javier. Raquel y Javier son _____ padres.

8 Señor Martínez, ¿esta es _____ hija? ¡Qué guapa!

10 Mira los dibujos y señala las distancias *(aquí / ahí / allí)* de las cosas utilizando los adjetivos demostrativos.

AQUÍ	AHÍ	ALLÍ

1 _____

5 *Esas bolsas*

9 _____

2 _____

6 _____

10 _____

3 _____

7 _____

11 _____

4 _____

8 _____

12 _____

11 Lee los siguientes comentarios de un foro de internet y marca la opción correcta.

¿Cuándo se independizan los hijos?

Anita dice:

Soy una mujer divorciada y vivo en un piso de alquiler en el centro de Alicante. Mi hijo Alfredo tiene 30 años y trabaja en una oficina, pero no quiere irse de casa. Dice que los pisos son muy caros, que no quiere compartir... Lo que realmente pasa es que tiene una vida muy cómoda y no hace nada en casa. Llenar la nevera y limpiar la casa es para él un universo desconocido. Mi hijo vive como un rey, pero yo no, así que he decidido independizarme, me voy a un apartamento más pequeño pero lejos de esta casa.

Samuel dice:

Tengo 26 años y vivo en un piso compartido con tres chicos más. Tengo buena relación con mis padres y casi todos los fines de semana y algún día entre semana voy a comer a su casa. Tengo mucha suerte porque tengo trabajo y puedo vivir mi vida, pero muchos jóvenes de mi generación quieren salir de casa de sus padres y no pueden porque es muy difícil encontrar trabajo estable y con un salario suficiente para poder pagar un alquiler.

1 El hijo de Anita dice que vive con su madre porque:
a ☐ no trabaja.
b ☐ no quiere independizarse.
c ☐ no quiere vivir con otras personas.

2 En el comentario de Anita, la frase "llenar la nevera" significa:
a ☐ ordenar las cosas en la nevera.
b ☐ comprar comida para casa.
c ☐ no dejar espacio en la nevera.

3 Anita decide:
a ☐ buscar un piso para su hijo.
b ☐ compartir piso con su hijo.
c ☐ irse ella de casa.

4 Samuel vive en un piso:
a ☐ solo.
b ☐ con sus padres.
c ☐ con más personas.

5 Samuel vive independiente pero come con sus padres:
a ☐ a veces.
b ☐ casi nunca.
c ☐ todos los días.

6 Samuel cree que los jóvenes no se independizan:
a ☐ porque quieren vivir con sus padres.
b ☐ porque no encuentran trabajo.
c ☐ porque no quieren pagar el alquiler.

12 Escribe tu opinión en un foro de internet sobre cuándo crees que tienen que independizarse los hijos.

7 Toda una vida

1 Completa este texto sobre el grupo musical The Beatles con las formas adecuadas del pretérito indefinido de los verbos entre paréntesis.

THE BEATLES (1962-1970)

Los "escarabajos" más famosos de la música (comenzar) (1) _____ su carrera musical en Liverpool (Gran Bretaña). (Editar, ellos) (2) _____ su primer disco en octubre de 1962, (revolucionar) (3) _____ el mundo con sus melenas y su música *rock* y (enamorar) (4) _____ a millones de jovencitas.

Pero el sueño no (durar) (5) _____ mucho. (Publicar, ellos) (6) _____ su último disco juntos en mayo de 1970, entonces (separarse, ellos) (7) _____ y (continuar) (8) _____ sus carreras musicales en solitario. Sin duda, hay un antes y un después de este grupo en la historia de la música mundial.

2 Escribe en pretérito indefinido estos datos de la biografía de la actriz española Penélope Cruz.

(Nace) (1) _____ en Madrid el 28 de abril de 1974.

A los catorce años (empieza) (2) _____ a trabajar como modelo publicitaria.

El director de cine Bigas Luna (le ofrece) (3) _____ el papel protagonista de la película *Jamón, jamón*. Ese mismo año (interpreta) (4) _____ un videoclip del grupo Mecano, *La fuerza del destino*.

En 1994, la película *Belle epoque*, en la que participa Penélope, (gana) (5) _____ el Óscar a la mejor película de habla no inglesa.

En 1998, Penélope (participa) (6) _____ en su primera película en inglés, *Hi-Lo Country*, de Stephen Frears.

El año 2000 (7) (supone) _____ su salto a Hollywood.

En 2006, (8) (es) _____ la primera actriz española en ser candidata a los Óscar de Hollywood.

En 2007 (rueda) (9) _____ *Vicky Cristina Barcelona*, a las órdenes de Woody Allen y (recibe) (10) _____ el Óscar como mejor actriz por su papel en la película. Penélope Cruz es una de las musas del director español Pedro Almodóvar.

3 Completa con los siguientes verbos, transformándolos en la tercera persona del singular del pretérito indefinido. Después, relaciona cada una de las informaciones con su autor.

diseñar • nacer • pintar • descubrir • inventar • escalar • escribir • ganar • vivir

1 _____ América en octubre de 1492.

2 _____ en Madrid y fue el primer español que _____ un Premio Nobel; fue en literatura en 1904.

3 _____ *El ingenioso hidalgo don Quijote de la Mancha* en 1605.

4 Es una alpinista española y la primera mujer en la historia que _____ las 14 montañas más altas del planeta.

5 _____ el Chupa Chups en 1957.

6 _____ el logotipo de la marca Chupa Chups.

7 _____ *Las Meninas* en 1656.

8 Fue una cantante argentina que _____ en París y Madrid.

a ☐ Miguel de Cervantes

b ☐ José Echegaray

c ☐ Enric Bernat

d ☐ Cristóbal Colón

e ☐ Salvador Dalí

f ☐ Velázquez

g ☐ Mercedes Sosa

h ☐ Edurne Pasaban

4 ¿Con qué estación del año relacionas estas imágenes? Escribe el nombre de la estación.

1 _____   2 _____   3 _____   4 _____

5 Explica cuál es tu estación favorita y por qué.

_____

_____

_____

6 Contesta a las siguientes preguntas de forma negativa. Usa estos indefinidos.

nada • nadie • nunca

1 ■ ¿Hay algo para comer en la nevera?
  ● No, no hay _____ .

2 ■ ¡Hola!, ¿hay alguien en casa?
  ● Venga, vámonos, parece que no hay _____ .

3 ■ ¿Te gusta el cine?
  ● Sí, mucho, pero no voy _____ porque no tengo tiempo.

4 ■ Bueno, ¿quieres tomar algo más?
  ● No, gracias, no quiero _____ .

5 ■ ¿Comemos en ese restaurante?
  ● No, no, vamos a otro restaurante porque en este no hay _____ . Está vacío.

6 ■ ¿Juegas al fútbol?
  ● No, no juego _____ . No me gusta.

7 Formula preguntas sobre las informaciones que te ofrecemos. Usa alguno de los interrogativos del centro.

1 Cantante español
¿Quién es este?

2 Nombre del actor
_____

3 Hora

4 Fecha de los
Juegos Olímpicos
_____

LOS INTERROGATIVOS
¿qué?
¿quién/-es?
¿dónde?
¿cuándo?
¿cómo?
¿por qué?

5 Ubicación del
Museo del Prado
_____

6 Australia, 1964
_____

7 Profesión
_____

8 Escribe con letras los siguientes números.

110 _____

325 _____

486 _____

512 _____

624 _____

725 _____

890 _____

969 _____

1312 _____

1800 _____

2016 _____

2133 _____

5272 _____

8555 _____

9 La siguiente noticia está desordenada. Léela y escribe en el recuadro de cada párrafo el número de orden.

PIDE UNA PIZZA Y LE ENTREGAN 10 000 EUROS

a ☐ Por la tarde recibió la visita de su sobrino Javier al que le encantan las pizzas. Ángeles le dio la pizza y Javier se la llevó a su casa.

b ☐ No pudo dormir en toda la noche pensando qué hacer. Finalmente, por la mañana, se levantó, llamó a su tía, le contó lo sucedido y se fue a la compañía de pizzas para devolver el dinero.

c ☐ Ángeles Cortés, enfermera en un hospital, pidió ayer, por teléfono, una pizza cuatro estaciones a la famosa cadena *Pizzarapid*. Cinco minutos después salió de su casa corriendo después de recibir una llamada urgente de su trabajo.

d ☐ Volvió a su casa a las nueve de la mañana después de trabajar toda la noche. Entonces su vecina la llamó para darle la pizza que había entregado el repartidor la noche anterior. Ángeles, cansada, dejó la pizza en la cocina y se fue a dormir.

e ☐ Cuando llegó a casa, Javier enchufó la tele, se sentó en el sofá y se preparó para ver el partido de fútbol y disfrutar de la pizza. De repente, abrió la caja y en lugar de la pizza encontró 10 000 euros.

10 Lee estos titulares de noticias y reescríbelos en pasado.

Martes, 9 de febrero de 2009

2008
Momentos para la historia

Obama es elegido presidente y cambia la historia de Estados Unidos.

La crisis económica mundial marca 2008 de forma negativa.

8 ¿Y qué tal fue el viaje?

1 Lee el siguiente mensaje de un foro de internet sobre viajes y señala
si las afirmaciones son verdaderas (V) o falsas (F).

VICENTE GONZALEZ:

¡Un viaje horrible!

En enero mi mujer y yo **estuvimos** tres días en A Coruña, un fin de semana largo. Un viaje donde casi todo **salió** mal: el avión salió de Bilbao con tres horas de retraso. La maleta no **llegó. Hicimos** una reclamación a la compañía, en el aeropuerto, y nos **dijeron** que seguramente la maleta llegaría en el siguiente vuelo, pero no **apareció** y todavía hoy, tres semanas después, no sabemos nada de la maleta. Al día siguiente **nos levantamos** temprano y salimos del hotel para conocer la ciudad. **Visitamos** el Ayuntamiento y su museo de los relojes, después vimos la Casa Museo de María Pita. Al mediodía **comimos** en un restaurante del paseo marítimo donde la comida resultó malísima y muy cara. Por la tarde **volvimos** al hotel para descansar un poco y no **pudimos** entrar en la habitación porque la llave no funcionaba. **Tuvimos** que esperar dos horas hasta que lo **solucionaron** y nos **dieron** otra llave. El domingo, **cogimos** un taxi al aeropuerto, **llegamos** con tiempo y **fuimos** a tomar un café, entonces mi mujer se dio cuenta de que se había dejado su bolso en el taxi, y dentro del bolso estaban los billetes de avión. **Salimos** corriendo pero no vimos al taxista. Tuve que volver a comprar otros dos billetes de avión para volver a Bilbao. En fin, ¡una auténtica pesadilla!

1 ☐ Volaron de Bilbao a A Coruña.
2 ☐ El avión llegó puntual a A Coruña.
3 ☐ Perdieron la maleta pero al final la encontraron.
4 ☐ No pudieron visitar nada de la ciudad.

5 ☐ La comida no les gustó.
6 ☐ Tuvieron un problema con la llave de la habitación del hotel.
7 ☐ Pudieron recuperar el bolso olvidado en el taxi.

2 Fíjate en los verbos en negrita que aparecen en el texto de la actividad anterior y clasifícalos en regulares e irregulares. Después, escribe al lado de cada uno el infinitivo que corresponde a la primera persona del singular *(yo)* del pretérito indefinido.

Regulares			Irregulares		
Verbo	Infinitivo	1.ª pers. sing.	Verbo	Infinitivo	1.ª pers. sing.
salió	*salir*	*salí*			

3 Lee las siguientes experiencias de viajes y escribe cuándo y dónde te ocurrieron a ti. Puedes dejar alguna en blanco o escribir *nunca* si no has tenido esa experiencia.

1 Perder la maleta en un vuelo.
El año pasado, en un viaje que hice a Argentina, estuve horas sin la maleta y tuve que comprar ropa...

2 Salir con retraso un vuelo.

3 Enamorarse de alguien.

4 Perder el bolso o la cartera.

5 Conocer a alguien famoso.

6 Comer en un restaurante muy malo y muy caro.

7 Llegar tarde al aeropuerto o a la estación y perder el vuelo o el tren.

8 Marearse en un barco.

9 Perder el billete de avión, tren o barco.

10 Olvidarse la cámara de fotos o el móvil en casa.

11 Perderse en una ciudad.

12 Dejarse algo importante en el hotel.

13 Ver un paisaje impresionante.

14 Poner una reclamación al hotel, a la compañía aérea o a la agencia de viajes.

4 Completa los siguientes diálogos con las formas correspondientes de pretérito indefinido de los verbos entre paréntesis. Fíjate en las expresiones temporales con las que usamos este tiempo de pasado.

1 ■ Carolina, ¿sabes si (haber) _____ clase de inglés el lunes pasado?
● No, la cancelaron porque la profesora no (poder) _____ ir.

2 ■ ¿Qué tal (ser) _____ el viaje del fin de semana pasado?
● ¡Genial! El viernes por la tarde (ir, nosotros) _____ a Sevilla en el AVE. (Ver) _____ un poco la ciudad y (cenar) _____ en un típico restaurante andaluz. El sábado por la mañana nos llevaron a la aldea del Rocío y al Parque Nacional de Doñana. Por la tarde (volver) _____ a Sevilla y (dar) _____ un paseo en coche de caballos.
■ Y el domingo, ¿qué (hacer, vosotros) _____?
● El domingo por la mañana (visitar, nosotros) _____ Córdoba y por la tarde (regresar) _____ a Madrid. (Llegar, yo) _____ a casa a las diez de la noche.

3 ■ Oye, y tú, ¿cuándo (estar) _____ en EE. UU. por primera vez?
● (Ir, yo) _____ por primera vez en 1997 y (volver) _____ tres años más tarde, en el 2000.

4 ■ Y anoche, ¿(salir, tú) _____ con Mario?
● No, al final no (salir, yo) _____, (ver) _____ un poco la tele y (acostarse) _____ pronto.

33

5 El sábado pasado Mauro fue a Segovia con unos compañeros de la Embajada de Portugal. Cuenta cómo pasó el día.

El sábado por la mañana Mauro se despertó a las nueve y cuarto para ir a Segovia con sus compañeros de la embajada.

_____

_____

_____

6 Escribe tres cosas que sucedieron o hiciste:

1 El verano pasado.

2 Antes de ayer.

3 Las últimas vacaciones.

4 La semana pasada.

5 En 2010.

6 La Navidad pasada.

7 En el último viaje.

8 La última vez que saliste con tus amigos.

9 Hace diez años.

10 Ayer.

7 Relaciona la información de las dos columnas y escribe frases como la del ejemplo.
   Hay más de una posibilidad.

ESTAR EN	el avión	1 *Ayer estuve en casa todo el día.*
VIAJAR POR	casa	2
LLEGAR A	África	3
PASAR POR	la tienda	4
SALIR DE	el puente	5
BAJAR DE	la calle	6
PASEAR POR	un museo	7
ENTRAR EN	un parque	8

8 Escribe sobre tu último viaje en un blog de viajes.

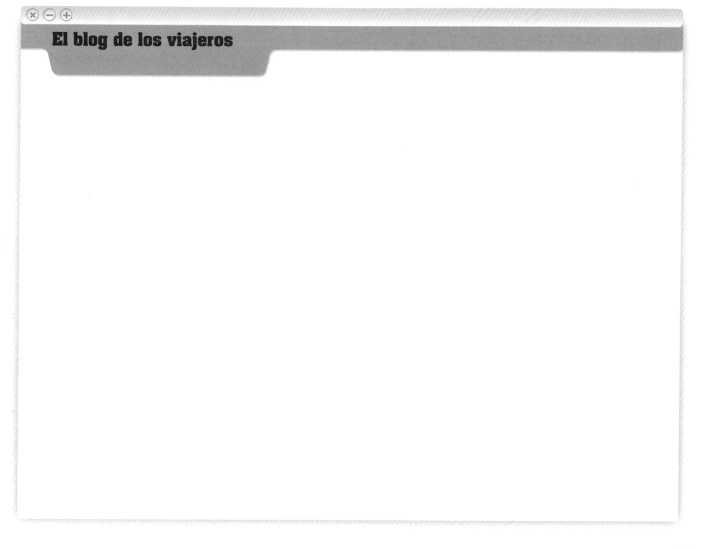

El blog de los viajeros

Ropa de invierno y de verano

1 ¿Qué tiempo hace?

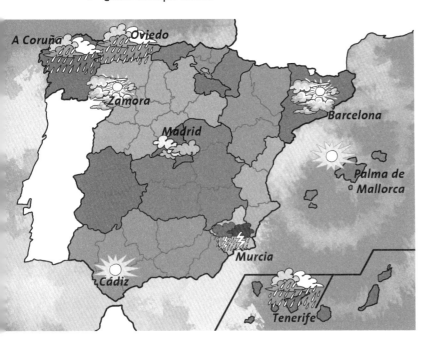

1 *En Madrid está nublado.*
2 _____
3 _____
4 _____
5 _____
6 _____
7 _____
8 _____
9 _____

nubes y claros   sol   nublado

lluvia   viento   tormenta

2 Relaciona las siguientes descripciones del tiempo con el nombre de la ciudad a la que se refieren.

San Petersburgo • Londres • Sevilla
Buenos Aires

1 Es 15 de enero, hace sol y mucho calor (30 ºC).

_____

2 Es 15 de abril, hace mucho frío (6 ºC), está nublado.

_____

3 Es 15 de septiembre, hace calor y no hace viento.

_____

4 Es 15 de septiembre, llueve, no hace calor y hay mucha niebla

_____

3 Describe cómo es el tiempo en tu país. ¿Qué ventajas y qué inconvenientes tiene?

4 Completa los siguientes diálogos con *muy* o *mucho.*

1 ▪ ¡Vamos, Lucas, es _____ tarde!

   • Tranquilo, no tenemos tanta prisa.

2 ▪ Ese vestido me encanta, te queda genial, de verdad.

   • Sí, a mí también me gusta _____.

3 ▪ ¿Qué te pasa? Estás roja.

   • Es que tengo _____ calor.

   ▪ ¡Mujer, qué exagerada!

4 ▪ Camarero, ¿puede ponerme un poco de leche fría?

   • El café está _____ caliente.

   ▪ Por supuesto, señor, ahora mismo.

5 ▪ ¿Qué tal?, ¿te gusta más así?

   • ¡Así está _____ mejor!

   ▪ Sí, yo también lo creo. Ahora está _____ bien.

6 ▪ Aquí hace _____ viento, ¿no?

   • Sí, siempre es así. Además, llueve _____ y hace _____ frío.

7 ▪ ¡Uf! He comido _____ y ahora estoy _____ lleno.

   • Ya te lo dije, Tomás, comes demasiado.

8 ▪ ¿Viajas _____?

   • Sí, soy _____ viajero.

5 Completa con *mucho, mucha, muchos* o *muchas.*

1 Tengo _____ maletas.

2 Siempre haces _____ preguntas.

3 Aquí hay _____ gente.

4 En la calle hay _____ coches.

5 Tengo _____ dinero.

6 Tengo que comprar _____ calcetines.

7 Tengo _____ amigos.

8 Tenemos _____ tiempo para estudiar.

9 En mi país tenemos _____ lluvia.

10 En este aeropuerto hay _____ aviones.

11 En esta tienda hay _____ bolsos.

12 En mi casa tenemos _____ libros.

13 ¡Tengo _____ sed!

14 Mi hermano tiene _____ problemas.

6 Escribe el nombre de estas prendas de vestir y clasifícalas según se usen más en invierno o en verano.

1 _____   2 _____   3 _____   4 _____

5 _____   6 _____   7 _____   8 _____

Ropa de verano	Ropa de invierno

7 ¿De qué color es / son? ¡Cuidado con el género de cada palabra!

1 el café   *marrón*   8 las naranjas   _____
2 la sal   _____   9 el mar   _____
3 los plátanos _____   10 la noche   _____
4 el azúcar   _____   11 el limón   _____
5 el cielo   _____   12 los tomates   _____
6 el sol   _____   13 las hojas de los árboles _____
7 la luna   _____   14 tus ojos   _____

8 Lee el siguiente texto. ¿De qué color crees que son tus sueños?

> Creo que mis sueños son de color azul, porque para mí el azul es el color de la libertad. Sueño con nadar en un mar infinito, donde las olas me llevan hasta el horizonte; también sueño con el cielo y con la posibilidad de volar como un pájaro. Sí, sin duda mis sueños tienen que ser azules.

9 Escribe cuál es tu color o colores favoritos para:

1 Vestir en verano.   5 Los zapatos.
_____   _____

2 Vestir en invierno.   6 Los muebles de la cocina.
_____   _____

3 Pintar las paredes de tu casa.   7 Tu fiesta de cumpleaños.
_____   _____

4 Un sofá.   8 Un coche.
_____   _____

10 Escribe en cada cuadro la ropa que te llevas en la maleta para cada situación.

Un fin de semana a esquiar.	Dos semanas en verano a un apartamento en la playa.
Una semana en enero a Moscú.	Ocho días en un barco, de crucero, por las islas griegas y en primavera.

11 Completa las siguientes frases con *por* o *para.*

1 Esta tarde no voy a salir de casa _____ la lluvia.

2 _____ ir a Moscú, me voy a llevar el abrigo de piel.

3 Paco escribe solo _____ correo electrónico, casi nunca usa el papel.

4 _____ llegar a Barcelona, tienes que pasar _____ Valencia.

5 ¿Qué tal esta camiseta? _____ mí, es ideal.

6 Raquel vino ayer _____ recoger su maleta.

7 Me voy a poner el vestido negro _____ la fiesta.

12 Completa con frases que expresen la estación del año, finalidades y destinatario. Fíjate en el ejemplo. Te damos algunas ideas.

1

Esta ropa es...

1 *para el verano.*

2 *para salir por la noche.*

3 *para ir a una fiesta.*

4 *para mí o para mi amiga Marta.*

2

Este traje es...

1 _____

2 _____

3 _____

4 _____

3

Esta ropa es...

1 _____

2 _____

3 _____

4 _____

4

Esta ropa es...

1 _____

2 _____

3 _____

4 _____

13 ¿De quién/-es es / son? Usa los pronombres posesivos correspondientes.

1 los libros / de Lola
Son suyos.

2 la película / de Almodóvar
_____

3 las camisetas / (de mí)
_____

4 el teléfono móvil / de Pedro
_____

5 las llaves / (de ti)
_____

6 la poesía / de Federico García Lorca
_____

7 el perro / de Ana y Víctor
_____

8 las canciones / de Enrique Iglesias
_____

9 los muñecos / de los niños
_____

10 el coche / (de nosotros)
_____

11 la cámara de fotos / de Isabel
_____

12 el reloj / (de mí)
_____

10 ¿A qué hora te has levantado hoy?

1 Escribe las formas correspondientes del pretérito perfecto.

infinitivo	pretérito perfecto
1 tener, nosotros/-as	*hemos tenido*
2 hacer, vosotros/-as	
3 decir, tú	
4 volver, él/ella/usted	
5 poner, yo	
6 vivir, vosotros/-as	
7 romper, ellos/-as/ustedes	
8 ser, tú	
9 bajar, nosotros/-as	
10 salir, yo	
11 abrir, ellos/-as/ustedes	

2 Completa el siguiente cuestionario con la forma de 2.ª persona del singular *(tú)* del pretérito perfecto de estos verbos. Después, contesta a las preguntas.

estudiar oír leer

probar ir escribir

pensar ver estar

HISPANOAMÉRICA Y TÚ

1 ¿_____ alguna vez a un país hispanoamericano?

2 ¿_____ la novela *Cien años de soledad*, del escritor Gabriel García Márquez?

3 ¿_____ alguna película hispanoamericana?

4 ¿_____ hablar de la Cumbre de Jefes de Estado hispanoamericana? ¿Sabes qué es?

5 ¿_____ la comida mexicana?

6 ¿_____ un correo electrónico a algún amigo de Hispanoamérica?

7 ¿_____ en la selva amazónica?

8 ¿_____ la geografía del continente americano?

9 ¿_____ alguna vez en vivir en el Caribe?

3 Pablo ha salido corriendo de casa porque ha recibido una llamada urgente de teléfono. Escribe qué cosas ha olvidado hacer.

1 *No ha tomado el zumo recién hecho.*
2 _____
3 _____
4 _____
5 _____
6 _____
7 _____
8 _____
9 _____
10 _____
11 _____

4 Lee la lista de cosas que tiene para hoy Alberto. Escribe las cosas que ya ha hecho y las que todavía no.

1 *Ya ha recogido la ropa de la tintorería.*
2 _____
3 _____
4 _____
5 _____
6 _____
7 _____
8 _____
9 _____

– Recoger la ropa de la tintorería.
– Ir al supermercado.
– Llamar a Silvia.
– Reservar mesa para el viernes en "El Piccolo".
– Escribir un correo de felicitación a Paco.
– Poner la lavadora.
– Ordenar las facturas.
– Preparar pastel para el cumpleaños de Javier.
– Comprar regalo para papá.

5 Escribe tres cosas que han sucedido o han cambiado:

1 En tu vida en los últimos cinco años.

2 En las nuevas tecnologías en los últimos diez años.

3 En tu país / ciudad en los últimos dos años.

4 En el mundo en el último año.

6 Completa las siguientes frases con las formas de pretérito perfecto o pretérito indefinido.

1 Luis no va a ver la película con nosotros, (acostarse, él) _____ hace cinco minutos.
2 Hace un año (dejar, yo) _____ de tomar café y hasta ahora no (volver, yo) _____ a hacerlo.
3 Hoy no (ir, yo) _____ a clase porque mis padres (venir) _____ a visitarme desde Barcelona.
4 ■ ¡Hombre! ¿Ya tienes el ordenador nuevo? ¿Cuándo lo (comprar, tú) _____?
   ● Hace poco. Lo (instalar, ellos) _____ la semana pasada.
5 ■ Últimamente (trabajar, tú) _____ mucho. Creo que necesitas unas buenas vacaciones.
   ● Sí, yo también lo creo, estoy muy cansado.
6 Anoche no (poder, yo) _____ terminar el libro porque (llamar, él) _____ mi amigo Paco y estuve hablando con él casi una hora y media.

7 Completa libremente estas frases con las informaciones que tú quieras.

1 Últimamente _____
2 La semana pasada _____
3 Ayer por la tarde _____
4 Esta semana _____
5 Hoy _____

8 Lee y completa los diálogos con el verbo correspondiente en pretérito perfecto o pretérito indefinido.

1 ■ ¿(Ir, tú) _____ alguna vez a Madrid?
  ● Sí, (estar, yo) _____ un mes el año pasado, en octubre, estudiando español.

2 ■ ¿Ya (comprar, vosotros)_____ los regalos de Navidad?
  ● No, qué va, todavía no (poder, nosotros) _____. Tenemos mucho trabajo.

3 ■ La semana pasada (estrenar) _____ en el cine la última película de Amenábar.
  ● ¡Qué bien! ¿Ya la (ver, tú) _____?

4 ■ Hace un año (subir, yo) _____ en globo y (ser) _____ una experiencia fantástica.
  ● ¿Sí? ¿Y no (tener, tú) _____ miedo?

5 ■ Hace dos años que (dejar, yo) _____ de fumar.
  ● Pues yo no (fumar) _____ nunca en mi vida, no soporto el tabaco.

6 ■ El otro día (estar, nosotros) _____ en un restaurante peruano muy especial. Hacen una comida genial.
  ● Yo no (probar) _____ todavía la comida peruana, pero me tienes que dar la dirección para ir un día.

9 Completa los datos biográficos de estos tres personajes españoles transformando el infinitivo en pretérito perfecto o pretérito indefinido.

PABLO PICASSO
(Pintar) _____ *La paloma de la paz* en 1945. A los 10 años (entrar) _____ en la Escuela de Bellas Artes de Barcelona. (Vivir) _____ los últimos años de su vida en Francia.
(Tener) _____ muchas mujeres, pero solo (casarse) _____ una vez.

1

JAVIER BARDEM
(Jugar) _____ al rugby con la selección española. (Ser) _____ el primer actor español en ganar un Óscar. (Trabajar) _____ con Woody Allen. (Tener) _____ dos hijos con Penélope Cruz.

2

ALEJANDRO AMENÁBAR
(Ganar) _____ nueve premios Goya y (recibir) _____ un Óscar en 2004 por su película *Mar adentro*. (Dirigir) _____ a Nicole Kidman.

3

Cuando no hay marcadores de tiempo y queremos hablar de las experiencias de la vida de una persona, si está muerta usamos el pretérito indefinido, y el pretérito perfecto para una persona que está viva.

10 Cambia la parte en negrita de cada frase por el pronombre correspondiente de objeto directo.

1 He visto **a Rosana** esta tarde.
La he visto esta tarde.

2 Ya han abierto **las tiendas**.
_____

3 Esta tarde he oído **el programa** en la radio.
_____

4 He conocido **a Enrique Iglesias** en un concierto.
_____

5 Todavía no he comprado **los libros**.
_____

6 Ya tengo **la nota del examen de español**.
_____

7 ¿Has recibido **el correo electrónico de Michelle**?
_____

8 Ya he entregado **la película** en el videoclub.
_____

11 El siguiente texto es un resumen de una entrevista a Humberto López, secretario general de la Asociación de Academias de la Lengua, en la que habla del español en América. Léela y contesta a los apartados A y B.

Según Humberto López, secretario general de la Asociación de Academias de la Lengua, hay un solo español que está muy extendido por el mundo, que está creciendo muy rápido en número de hablantes y que, como el resto de lenguas, tiene diferencias en algunas palabras en las diferentes zonas donde se habla. Por ejemplo, para hablar del dolor de cabeza y cuerpo que siente una persona al día siguiente después de haber bebido mucho alcohol, en Venezuela se dice **ratón**; en México, **cruda**; en Ecuador, **chuchaqui** y en España decimos **resaca**. También hay diferencias en el tono y los gestos. En América, se usa más el lenguaje gestual y el español es más dulce, más suave, también en el sur de España y Canarias. En cambio, en el norte y centro de España el español parece más seco, más directo. Pero, en general, nos entendemos todos.

Por otra parte, el español no solo se habla en muchos sitios del planeta, sino que el número de hablantes crece cada año a gran velocidad y en el 2050 puede ser la primera lengua en Estados Unidos frente al inglés. Y en muchos países de América Latina, se habla inglés muy poco o nada, esta lengua es para la gente que tiene dinero y que viaja a Estados Unidos. Aunque si hablamos de tecnología, el inglés sigue siendo la lengua que domina.

(Adaptado de: Juan Morenilla. Entrevista a Humberto López. "El español se está apoderando hoy del inglés a grandes pasos" *El País digital*.)

A Elige uno de estos tres títulos para el texto:

1 ☐ Los diferentes españoles del mundo   2 ☐ El gran crecimiento del español en el mundo

3 ☐ El inglés es el idioma de América

B Marca si son verdaderas (V) o falsas (F) las siguientes afirmaciones, según el texto.

	V	F
1 El español es un idioma diferente en cada parte del mundo.		
2 Los latinos usan más gestos al hablar que los españoles.		
3 Los hispanohablantes tienen muchos problemas para entenderse entre ellos.		
4 El inglés es el idioma que más se habla en toda América.		
5 En el futuro, en Estados Unidos, el español puede ser más importante que el inglés.		

11 Tienes que cuidarte

1 Completa el siguiente texto con *duele* o *duelen*.

Acabo de salir del gimnasio, después de muchos meses sin ir, y la verdad es que me (1) _____ todo el cuerpo, no siento las piernas, la espalda me (2) _____ muchísimo y los brazos me (3) _____ tanto que no puedo ni levantarlos. ¡Me (4) _____ incluso los dedos de los pies! Sinceramente, creo que lo único que no me (5) _____ es la nariz.
Alguien me ha explicado que en español esto se llama "tener agujetas".

2 Construye frases con el verbo *doler*, como en el ejemplo.

Susana / doler / la cabeza.
A Susana le duele la cabeza.

1 Los atletas / doler / la espalda

_____

2 Paco / doler / todo el cuerpo

_____

3 Tú / doler / las piernas

4 Yo / doler / el estómago

_____

5 Ronaldo / doler / la rodilla

_____

6 El profesor de español / doler / las muelas

_____

7 Nosotros / doler / la cabeza

3 Completa el dibujo con los nombres de las partes del cuerpo.

4 ¿Qué parte o partes del cuerpo se utilizan para...

1 caminar?   *los pies, las piernas*

2 ver una película? _____

3 comer alimentos? _____

4 oler un perfume? _____

5 escuchar música? _____

6 escribir un correo electrónico? _____

7 tocar la guitarra? _____

8 jugar al tenis? _____

5 Relaciona los dibujos con las expresiones correspondientes y completa el diálogo.

toser   tener fiebre   estornudar   doler la cabeza   marearse

1 _____

2 _____

3 _____

4 _____

5 _____

■ Buenos días, cuénteme qué le pasa.

● Verá, doctora, lo cierto es que últimamente no me encuentro muy bien. De repente (yo)
(1) _____, hasta 39 ℃. Entonces (2) _____ muchísimo la cabeza
y ni la aspirina me quita este dolor.

■ ¿Ha notado también que (usted) (3) _____?

● Sí, lo cierto es que a veces tengo la sensación de no pisar el suelo y la cabeza me da
vueltas. Por la noche también (yo) (4) _____ a menudo, es una tos seca, que
se repite muchas veces.

■ ¿Y (usted) (5) _____ mucho?

● No mucho, la nariz no me molesta demasiado.

6 Clasifica las partes del cuerpo y los síntomas en la tabla, siguiendo el ejemplo.

cabeza ● el pie ● anemia ● el brazo ● oídos ● espalda ● agujetas ● toser ● mala cara ● marearse
la mano ● estrés ● las rodillas ● fiebre ● pies ● los dientes ● estornudar ● tos ● estómago

Tengo...	Tengo dolor de...	Me duele...	Me duelen...	Verbos de síntomas
				toser

45

7 El doctor Escudero ha recibido una nota con las instrucciones para el viaje a un congreso de médicos que se va a celebrar en Barcelona. ¿Qué tiene que hacer? Usa la perífrasis de obligación *tener que* + infinitivo.

- En la estación de Atocha, taquilla 19, a las 9.45 h., recogida de billete.
- Esperar representante Congreso en puerta principal, estación de Barcelona, a las 12.30 h.
- Recogida de documentación en la secretaría.
- Reunión con el Dr. Martín a las 16.00 h.

Tiene que estar en la taquilla 19 de la estación de Atocha a las diez menos cuarto de la mañana para recoger el billete.

1 _____
2 _____
3 _____

8 ¿Cómo reaccionas tú ante estas situaciones? Elige un elemento de los recuadros e imagina lo que tienes que hacer en cada caso.

gafas   solo leche   preguntar a alguien   esperar   una escuela

ambulancia   tarjeta de crédito   andando   ~~contestador~~

1 Ana no está en casa.
Tengo que dejar un mensaje en el contestador.
2 No llevo dinero suficiente.
3 El banco abre en media hora.
4 Necesito clases de inglés.

5 No queda café.
6 Hoy no hay metro ni autobuses.
7 No sé dónde está el metro.
8 No veo muy bien.
9 He visto un accidente en la calle.

9 Completa la lista escribiendo nueve consejos más.

Para tener una vida sana...

1 *Hay que hacer ejercicio tres veces a la semana.*
2 _____
3 _____
4 _____
5 _____

6 _____
7 _____
8 _____
9 _____
10 _____

10 Unas personas tienen estos problemas. Escribe un consejo para cada una usando *tener que / deber* + infinitivo con estas expresiones.

hacer ejercicio • tomar una pastilla • ponerse una crema • dormir más
dejar de tomar café • beber mucha agua • hacer dieta • hacerse unos análisis

1 Este año he engordado seis kilos y tengo que comprar ropa nueva.

_____

2 Tengo mucha tos, me duele el cuello y la cabeza, creo que tengo fiebre.

_____

3 No sé qué me pasa, últimamente duermo mal, por las mañanas a veces me mareo, estoy cansada y como poco porque no tengo hambre.

_____

4 El domingo fui a la playa y me quedé dormido tomando el sol, me quemé la espalda y las piernas y ahora me duele mucho.

_____

5 Son las dos y ya me he tomado siete cafés, pero es que si no, me duermo en la oficina. En cambio por las noches no tengo sueño y veo películas o juego con el ordenador hasta muy tarde.

11 Escribe una excusa para cada una de las siguientes situaciones.

1 ■ ¿Por qué llegas tarde?
● *Es que he perdido el autobús.*

2 ■ ¿No puedes acompañarme a comprar?
● _____

3 ■ ¿Me puedes dejar tu coche el sábado?
● _____

4 ■ ¿Por qué no tomas una pastilla para el dolor de cabeza?
● _____

5 ■ Tienes muy mala cara.
● _____

6 ■ Deberías dormir más.
● _____

12 Completa estos diálogos con las preposiciones *por* o *para.*

1 ■ Perdone, ¿dónde tengo que ir _____ llegar a la calle Prim?
● Verá, joven, tiene que pasar primero _____ esa plaza que ve ahí y luego girar a la izquierda. Está muy cerca.
■ Muchas gracias.

2 ■ ¿Sabes?, el médico me ha pedido unos análisis de sangre _____ ver el nivel de colesterol.
● Tranquilo, tú eres un chico muy sano.

3 ■ Bueno, ha llegado el final de curso y quiero daros las gracias a todos _____ este curso tan fantástico.
● Nosotros también. Ha sido estupendo, de verdad.

4 ■ Cuando termine el semestre, voy a viajar con mis padres _____ toda Europa. Y tú, ¿qué vas a hacer, Hans?
● Yo voy a continuar en Madrid todo el verano _____ mejorar mi español.
■ Sí, es una buena idea.

5 *Ring, ring...*
■ Oye, ¿ya ha salido Pedro? Estoy esperando desde hace media hora.
● Sí, acaba de salir, tranquilo, va _____ tu casa. No creo que tarde mucho.

13 Lee el siguiente texto y contesta a las preguntas.

LA CONSEJERÍA DE SANIDAD repartió medio millón de vacunas antigripales

1 La Consejería de Sanidad de Galicia distribuyó más de medio millón de vacunas contra la gripe en la campaña invernal del año pasado, *para* la población de esta Comunidad, que es de unos
5 2 700 000 personas.

La campaña de vacunación se desarrolló entre los meses de septiembre y noviembre en unos setecientos centros de salud distribuidos *por* toda la geografía gallega.

10 *Para* el Consejero de Sanidad, Antonio Pernas, el programa de vacunación resultó todo un éxito *por* haber llegado a un número tan elevado de personas, ya que estaba basado en una campaña de información de más de cien mil folletos y car-
15 teles, así como cincuenta mil cartas enviadas *por* correo a la población de más riesgo.

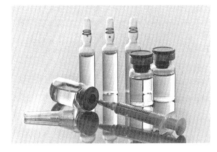

1 ¿En qué consistió la campaña invernal de la Consejería de Sanidad?
_____

2 ¿Dónde se vacunó a la gente?
_____

3 En tu opinión, ¿qué tipo de población tiene más riesgo de sufrir la gripe?
_____

4 Analiza los usos de las preposiciones *por* y *para* señaladas en cursiva, como en el ejemplo.

Para la población de esa Comunidad... finalidad, objetivo _____

Antes todo era diferente

1 Escribe las formas correspondientes del **pretérito imperfecto.**

1 dar, vosotros/-as _____

2 enseñar, él / ella / usted _____

3 nacer, ellos / ellas / ustedes _____

4 vivir, vosotros/-as _____

5 navegar, él / ella / usted _____

6 leer, yo _____

7 trabajar, ellos / ellas / ustedes _____

8 jugar, nosotros/-as _____

9 ir, yo _____

10 tener, vosotros/-as _____

11 salir, tú _____

12 ser, yo _____

2 Completa este texto que cuenta cómo era Sonia antes y cómo es ahora. Después, compara el *antes* y el *ahora* de Manuel.

Antes **Ahora** **Antes** **Ahora**

Cuando Sonia (ser) (1) _____

más joven, (vestir) (2) _____

de una manera más informal.

(Llevar) (3) _____ camisetas y

pantalones vaqueros. (Tener) (4) _____

_____ el pelo muy largo y rizado;

y sus gafas (ser) (5) _____ muy

grandes.

Ahora (llevar) (6) _____ trajes

de chaqueta y su corte de pelo

(ser) (7) _____ más clásico. ¡Sin

duda, sus gafas (ser) (8) _____

más modernas!

3 ¿Hay muchas cosas que hacías antes y ahora no?, ¿por qué? Contesta como en el ejemplo.

> *Antes siempre viajaba con mis padres en vacaciones, pero ya no. Ahora voy de vacaciones con mi novio y mis amigos.*

ANTES	TODAVÍA / YA NO
1 (tener) muchas vacaciones	
2 (leer) cómics y libros de aventuras	
3 (ver) películas de Disney	
4 (escribir) cartas a los amigos	
5 (llorar) a menudo	
6 (tener) la habitación desordenada siempre	
7 (coleccionar) coches en miniatura	

4 ¿Tienes recuerdos de tu infancia o de cuando eras más joven? Fíjate en el modelo que te proponemos y escribe sobre alguno de estos temas.

> Mi primera bicicleta / moto   Un recuerdo de mi infancia   Mi primer/-a novio/-a

Mi primer coche

Un Peugeot 106, tenía tres puertas y era blanco. Recuerdo que gastaba poca gasolina y nunca tenía problemas para encontrar aparcamiento. Lo llevaba a la universidad y los veranos viajaba en él con mis amigas. ¡Me encantaba aquel coche!

5 Sustituye estos imperfectos que indican acciones habituales en el pasado por las formas correspondientes de *soler* + infinitivo.

> Cuando iba al instituto normalmente veraneaba (1) [_____] en el pueblo de mi padre. Mi madre y mi abuela preparaban (2) [_____] unos desayunos fantásticos. Como mi abuela sabía que me encantaban sus galletas, siempre las hacía (3) [_____] para mí cada vez que iba. Después del desayuno, (yo) salía muchas veces (4) [_____] al campo con el abuelo y a menudo pasábamos (5) [_____] allí toda la mañana.

6 Piensa en cuando eras pequeño y escribe dos cosas que hacías:

1 Siempre en verano.

_____

2 Todos los domingos.

_____

3 A veces en vacaciones.

_____

4 A menudo con tu familia.

_____

5 Habitualmente en el colegio.

_____

7 Relaciona las dos columnas.

Está

Es

mal / bien
descansando
muy cansado
ingeniero
cerrada
en la universidad
rubio
mejor / peor
profesor de español
el mío
abierto
mi marido

8 Completa los diálogos con las formas apropiadas de *ser* o *estar*.

1 ▪ ¡Hola, Marina!, ¿qué tal te encuentras hoy?
   ● Bueno, parece que ahora (yo) _____
     bien, la semana pasada sí que me encontraba
     fatal, pero hoy (yo) _____ mejor,
     gracias.

2 ▪ ¿Y Olga y Ana?, ¿sabes si han venido?
   ● Creo que no, (ellas) _____ en casa
     de sus padres, han ido a pasar el día.

3 ▪ Mira, esta _____ Jessica,
     _____ de Estados Unidos.
   ● ¡Hola, Jessica! ¿qué tal (tú) _____?
   ▲ Muy bien, gracias, ¿y tú?

4 ▪ ¡Qué bien canta Luis Miguel!
   ● Sí y además (él) _____ guapísimo.
     ¡Me encanta!

5 ▪ Juan, ¡qué desorden!, ¿se puede saber que (tú)
     _____ haciendo?
   ● ¿No lo ves? (Yo) _____
     ordenando los armarios de mi habitación y
     _____ cansadísimo, no puedo
     más.
   ▪ Pues vamos a tomar algo y así descansas un
     rato.

6 ▪ Y tu mujer, ¿qué hace?
   ● (Ella) _____ profesora de español
     en la universidad y casi no la veo, siempre
     _____ muy ocupada.

9 Relaciona cada imagen con la correspondiente etapa de la vida.

La infancia ● La juventud ● La madurez ● La vejez

1

2

3

4

1 _____
2 _____
3 _____
4 _____

10 Escribe qué cuatro cosas crees que se suelen hacer en cada una de estas etapas.

1 La infancia: *ir al colegio,* _____
  _____

2 La juventud: _____
  _____

3 La madurez: _____
  _____

4 La vejez: _____
  _____

11 Lee los siguientes textos de un foro sobre recuerdos navideños y responde marcando la opción correcta en cada caso.

¿Cómo ha cambiado la Navidad?

Clarita

Para mí la Navidad era toda la familia reunida en casa de mis abuelos, en el pueblo, cantábamos villancicos, jugábamos con la nieve... También había una habitación muy grande que mi abuela llenaba con colchones en el suelo y todos los niños dormíamos allí, así que por las noches hablábamos, nos reíamos y contábamos historias hasta muy tarde. Recuerdo que a casa de mis abuelos no llegaba Papá Noel, solo los Reyes Magos. Mi abuelo decía que era porque no había chimenea y Papá Noel no podía entrar. En cambio, los Reyes venían con camellos y podían entrar por el balcón. Ahora es diferente, mis abuelos ya no viven. Nos reunimos en casa de mis padres en Nochebuena y Navidad, el 31 y el 1 en casa de mis suegros, y el día de Reyes, como soy la única que tiene niños pequeños, lo celebramos en mi casa.

Juan Ramón

La Navidad ahora es muy diferente, suelo ir a casa de mis padres el 25 para la comida de Navidad y luego me voy unos días de vacaciones con los amigos. Es una época que me estresa un poco y me parece demasiado comercial. No sé... ya no se respira el espíritu navideño. En cambio, cuando era pequeño, era mi época favorita del año. Vivía con mis padres y mi hermano en casa de mis abuelos, una casa muy grande, y el día de Navidad venían todos mis tíos y mis primos a comer. Recuerdo una mesa muy grande donde comían los mayores y todos los niños comíamos en otra mesa. Había siempre mucha comida y muchos dulces. Abríamos los regalos de Papá Noel, que siempre eran más pequeños que los de los Reyes Magos, (golosinas, juguetes pequeños), yo no entendía por qué y mi abuelo siempre me decía que como los Reyes eran tres podían traer más cosas y más grandes. Y mi abuelo, reunía a todos los nietos en el jardín para hacer un muñeco de nieve y acabábamos haciendo una guerra de bolas de nieve. Era muy divertido.

1 En casa de los abuelos de Clarita:
   a ☐ Todos se quedaban contando historias hasta muy tarde.
   b ☐ Los niños se acostaban y los mayores se quedaban contando historias.
   c ☐ Los niños dormían juntos y se quedaban contando historias.

2 Clarita ahora en Navidades:
   a ☐ Sigue reuniéndose con toda la familia el mismo día.
   b ☐ Se reúne unos días con su familia y otros con la familia de su marido.
   c ☐ Se reúnen en dos casas diferentes.

3 Para Juan Ramón, la Navidad:
   a ☐ Era la mejor época del año.
   b ☐ Es la mejor época del año.
   c ☐ Siempre ha sido la mejor época del año.

4 Juan Ramón recuerda:
   a ☐ Una mesa muy grande donde comía toda la familia.
   b ☐ Grandes regalos de Papá Noel y los Reyes Magos.
   c ☐ Cuando jugaba con sus primos y su abuelo en el jardín de la casa.

12 Escribe un texto para participar en el foro anterior, comparando la Navidad (u otra festividad importante que se celebra en tu casa) cuando eras pequeño y ahora.

13 Apaguen sus móviles, por favor

1 Escribe las formas del imperativo afirmativo de estos verbos regulares.

	enviar	responder	compartir
tú			
vosotros/-as			
usted			
ustedes			

2 Completa ahora la tabla con los verbos irregulares. Después, relaciona las expresiones del recuadro con alguno de esos imperativos y escribe frases.

	tú	usted
decir		
poner	*pon*	
salir		
venir		
hacer		
tener		
ir		

- ✔ el paraguas en el paragüero
- ✔ de la clase un momento
- ✔ los ejercicios de la página 15
- ✔ a verme esta tarde
- ✔ la verdad
- ✔ paciencia, es mejor
- ✔ a hablar con el director

1 *Pon el paraguas en el paragüero y así no mojas el suelo.*

2 _____

3 _____

4 _____

5 _____

6 _____

7 _____

3 Escribe las formas correspondientes del imperativo afirmativo de estos verbos con cambio vocálico (e>ie, o>ue, e>i).

1 pensar, vosotros/-as

2 sentarse, usted

3 dormir, vosotros/-as

4 encontrar, ustedes

5 invertir, usted

6 cerrar, vosotros/-as

7 acostarse, ustedes

8 volar, usted

9 recordar, vosotros/-as

10 despertarse, usted

11 probar, vosotros/-as

12 encender, ustedes

4 Completa con los verbos del ejercicio anterior en la 2.ª persona del singular del imperativo afirmativo.

Mejora tu calidad *de vida*

1 _____ la luz de tus deseos.

2 _____ dinero y tiempo en tus aficiones.

3 _____ los momentos más bonitos que has vivido.

4 _____ en positivo, el pensamiento se convierte en emoción.

5 _____ todas las noches con una sonrisa.

6 _____ todos los sabores de la vida.

7 _____ a donde quieras con tu imaginación.

8 _____ ocho horas todos los días, el descanso es importante.

9 _____ tranquilamente para comer, no comas nunca de pie.

10 _____ todas las mañanas con una ilusión.

11 _____ momentos para estar solo y meditar.

12 _____ las puertas del pasado.

5 Escribe en imperativo las instrucciones de uso del cajero automático. La persona utilizada es *usted.*

1 (Introducir) _____ su clave personal.

2 (Marcar) _____ la cantidad que desea.

3 Si es correcto, (pulsar) _____ "Continuar" si no, (teclear) _____ "Cancelar".

4 (Comprobar) _____ que todos los datos de la operación son correctos.

5 (Retirar) _____ la tarjeta y el dinero solicitados.

6 Transforma las frases según el ejemplo.

1 Coged el metro.
Cógedlo.

2 Consuma alimentos integrales.
_____

3 Borra la pizarra.
_____

4 Bebed leche.
_____

5 Abre las ventanas.
_____

6 Bajad la televisión.
_____

7 Recargad los teléfonos móviles.
_____

8 Envía el correo electrónico.
_____

7 Completa con uno de estos verbos estas frases, en las que pides o solicitas algo con el pretérito imperfecto de cortesía.

querer • llamar • venir • poder

1 *(Por teléfono)* ¡Hola! _____ para invitaros a la fiesta del sábado. ¿Podéis venir?

2 *(En el banco)* Perdone, _____ hacer una transferencia de 300 euros a este número de cuenta.

3 *(En la tienda)* Buenos días, _____ a cambiar esta camiseta. ¿Tienen una talla mayor?

4 *(En la tienda)* Por favor, ¿_____ decirme el precio de ese collar, el de la derecha?

8 Observa los dibujos y haz preguntas para pedir permiso. Usa la expresión *poder* + infinitivo.

1   ¡Fotos!   2 _____   3 _____   4 _____
    ¿Puedo verlas?

5 _____   6 _____   7 _____   8 _____

9 Fíjate en las expresiones más habituales cuando hablamos por teléfono. Después, completa los diálogos telefónicos en los que tú eres quien llama.

EL / LA QUE CONTESTA	EL / LA QUE LLAMA
Para contestar: –¿Sí? –¿Diga / ¿Dígame?	Para preguntar por alguien: –¿Está...? –Quería / quiero hablar con... –¿Podía / puedo hablar con...?
CUANDO CONTESTA UNA PERSONA QUE NO ES LA PERSONA POR LA QUE PREGUNTAN	
Cuando está: –Ahora se pone. –¿De parte de quién?	Cuando no está esa persona: –Gracias, llamaré más tarde. –¿Podía / puedo dejar un mensaje?
Cuando no está o no puede ponerse: –Ahora no está / no puede ponerse. –¿Quieres dejar un mensaje?	

1   ▪ ¿Sí?
    (Pregunta por Michelle)

    ● _____

    ▪ Ahora se pone, un momento.
2   (Contestan)

    ● _____

    ▪ Quería hablar con Mario, por favor.
    ● Ahora no está en casa.
    (Quieres dejar un mensaje)

    ▪ _____

3   ▪ ¿Dígame?
    (Pregunta por Pablo)

    ● _____

    ▪ ¿De parte de quién?
4   (Contestan)

    ● _____

    ▪ Hola, (preséntate)

    _____

    ● Hola, ¿qué tal?

10 Relaciona cada expresión con la definición de la situación correspondiente.

1 Estás fuera de cobertura.

2 No tienes batería.

3 Salta el contestador automático.

4 Se han equivocado.

5 Está comunicando.

6 No te queda saldo.

7 Tienes un mensaje de texto.

a Cuando llamas a una persona y se oye un sonido que se repite, *pi-pi-pi-pi-pi.*

b Cuando no puedes llamar porque has agotado el dinero.

c Cuando necesitas conectar el teléfono con el cargador a la corriente eléctrica.

d Cuando recibes un mensaje escrito.

e Cuando estás en un lugar que no puedes llamar ni recibir llamadas.

f Cuando recibes una llamada y preguntan por una persona que no conoces.

g Cuando llamas a una persona y contesta un mensaje de voz.

11 El siguiente texto está desordenado y explica una parte de la historia del teléfono móvil en España. Léelo y escribe la letra de cada párrafo en el orden correspondiente.

El teléfono móvil en España

A En 1994 llegó la telefonía digital que sustituyó a la analógica. Y ese mismo año Telefónica perdió el monopolio y nacieron nuevas compañías. A partir del 2000 apareció la tecnología 3G y la evolución fue rapidísima. En el 2006 había más móviles que españoles. Antes una persona que hablaba por teléfono mientras andaba por la calle o compraba en un supermercado parecía una persona rara. Ahora si una persona no tiene móvil parece un extraterrestre.

B La telefonía móvil en España empezó en 1976 con los teléfonos automáticos para los automóviles pero solo con cobertura en Madrid y Barcelona. Y la red era de la Compañía Telefónica Nacional de España, la actual Telefónica.

C También han variado mucho los modelos de teléfonos móviles. Al principio, no existían las pantallas táctiles, todos los móviles tenían un teclado para escribir y las pantallas eran en blanco y negro. En el 2003 apareció el primero con pantalla en color, era de Sony. Los móviles empezaron a ser cada vez más pequeños y delgados. Otro cambio importante fue la aparición del primer iPhone y del *smartphone*. De los móviles pequeños se volvió a la moda de los grandes, cada vez con pantallas más grandes y con cámaras de fotos más potentes. No sabemos cómo seguirán evolucionando los móviles, algunos hablan de pantallas transparentes, otros de pantallas flexibles, lo que sí sabemos seguro es que cada vez serán más potentes.

D Después, en los años 80 llegaron los primeros móviles, pesaban cerca de 1 kg y eran muy caros, su precio, entonces en pesetas, era el equivalente ahora a unos 4200€. Al principio solo los tenían los presidentes de las grandes compañías y gente con mucho dinero, dicen que los dos primeros fueron para el rey y el presidente del gobierno. Poco a poco creció el número de personas con móvil y también la cobertura. En 1990 llegó la cobertura a las 50 provincias españolas y la única red seguía siendo la de Telefónica.

1 _____ 2 _____ 3 _____ 4 _____

12 ¿Recuerdas tu primer teléfono móvil? Escribe un pequeño texto explicando cómo era y la evolución hasta el que tienes ahora. Si no tienes móvil explica por qué.

14 Y entonces le conté mis recuerdos

1 Tu compañera de piso se ha mudado de casa y tienes que mandarle algunas cosas que todavía están en tu casa. ¿Qué cosas le has mandado ya y cuáles todavía no? Escribe frases como en los ejemplos.

	SÍ	NO	
1 La lámpara pequeña	x		*Ya se le ha mandado.*
2 El álbum de fotos		x	*Todavía no se lo he mandado.*
3 Las postales		x	
4 Los CD de música clásica		x	
5 La colección de sellos	x		
6 Las gafas de sol		x	
7 La alfombra de su habitación		x	
8 El cuadro de Mariscal	x		
9 La cámara de fotos	x		
10 Los diccionarios de francés		x	
11 El catálogo de su exposición	x		
12 El disfraz de fantasma	x		

2 Completa los siguientes diálogos con los pronombres personales de objeto directo y objeto indirecto.

> ¡Qué gafas tan bonitas llevas!
>
> Me las ha regalado Manuel.

1 ■ ¿Le has dado los libros a Ángel?
  ● Sí, tranquila, _____ di ayer.

2 ■ ¿Seguro que ya entregaste el sobre a la secretaria?
  ● ¡Qué sí, seguro! _____ he llevado esta mañana, antes de clase.

3 ■ Oye, ¿tú me has cogido las llaves del coche? No están en su sitio.
  ● ¡Uy, lo siento! _____ doy ahora mismo. Espera un momento.

4 ■ ¿Ya has enseñado las notas a tus padres o todavía no?
  ● Sí, sí, _____ enseñé anoche, están muy contentos.

5 ■ ¿A quién le pido la cuenta?
  ● Pide _____ a ese camarero, él nos ha servido.

6 ■ A ver Nacho, ¿quién te ha regalado esta bicicleta tan bonita?
  ● _____ han traído los Reyes Magos porque he sido muy bueno.
  ■ ¡Qué bien!, ¿eh?

3 Elige *quedar* o *quedarse* en cada frase. Después, escribe un ejemplo para cada uno de estos verbos.

1 ■ Oye, espérame, **quédate / queda** aquí un momento, ahora mismo vengo.
   ● Vale, vale, no me muevo de aquí.

2 Este verano voy a **quedar / quedarme** en casa, no tengo vacaciones.

3 Ayer **quedé / me quedé** con unos amigos a las cinco para ir a ver la exposición de pintura.

4 No voy a salir hoy, tengo que **quedarme / quedar** en casa estudiando. Mañana hay examen de Matemáticas.

5 ■ ¿**Quedamos / Nos quedamos** hoy a las siete?
   ● Lo siento, hoy no puedo, tal vez mañana.

6 Me gustaría **quedarme / quedar** en España otro curso más, me gusta mucho vivir aquí.

QUEDAR _____

QUEDARSE EN _____

4 Fíjate en los usos del pretérito indefinido y del pretérito imperfecto en estas frases. Después, lee y completa el texto con estos tiempos de pasado.

Anoche, cuando llegué a casa, mis padres estaban viendo la televisión. ⟶ SIMULTANEIDAD DE ACCIONES
                                                       veían

Anoche, cuando llegué a casa, mis padres y yo cenamos. ⟶ ACCIÓN POSTERIOR

Un accidente

El lunes por la tarde, cuando estaba paseando por la calle Princesa, vi un accidente. El autobús que venía por la calle de la derecha no vio la moto que en ese momento pasaba por el cruce, y chocó con ella. Cuando llegó la ambulancia, se llevaron al conductor de la moto al hospital. El conductor del autobús estaba nerviosísimo y tuvieron que atenderlo allí mismo.

Ayer cuando le (llamar, yo) (1) _____ por teléfono, (estar, él) (2) _____ en la ducha y, por eso, le dejé un mensaje en el contestador automático. Cuando (salir, él) (3) _____ de la ducha, lo (escuchar, él) (4) _____.
(Quedar, nosotros) _____ (5) una hora más tarde, en la academia. (Haber) (6) _____ exámenes oficiales de inglés y (estar) (7) _____ llena de gente, así que (ir, nosotros) (8) _____ a la cafetería de la esquina.

5 ¿Recuerdas las tres historias de amor que has visto en la unidad? Ahora léelas y elije el verbo correcto en cada caso.

1 María **trabajó / trabajaba** de camarera en un bar del centro. Klaus **estudió / estudiaba** español en una academia de español para extranjeros; todas las mañanas **desayunó / desayunaba** en ese bar y **habló / hablaba** con María, hasta que un día, por fin, Klaus la **invitó / invitaba** al cine.

2 Raquel y Paco se **conocieron / se conocían** desde hacía muchos años. **Se vieron / Se veían** de vez en cuando, en fiestas y cumpleaños de amigos comunes; solo **fueron / eran** amigos. Pero un día, de repente, como en una película de amor, **sintieron / sentían** que **eran / fueron** más que amigos.

3 Jaime **trabajó / trabajaba** en una compañía de importación de coches y Sayako también, **fue / era** la traductora de japonés. A Jaime le **interesó / interesaba** mucho Japón y su cultura y, por eso, un día **decidió / decidía** hablar con ella sobre su país.

6 Imagina que esta historia sucedió ayer y escríbela en pasado. Debes usar el pretérito indefinido y el pretérito imperfecto.

Hoy es el primer día de colegio para Daniel. Su madre lo levanta temprano de la cama, a las siete y media, porque las clases empiezan a las nueve. Daniel está nervioso, casi no desayuna nada, un poquito de leche y dos galletas. Cuando termina el desayuno, su madre le pone el uniforme del colegio.

A las ocho y media, Daniel y su mamá salen de casa, cogen el autobús y llegan al colegio. En la puerta hay muchos niños y niñas que están tan nerviosos como él. Los profesores llaman en primer lugar a los alumnos nuevos, uno por uno. "Daniel Escudero", dice una chica joven que se parece a la actriz Gwyneth Paltrow. Entonces, Daniel se agarra muy fuerte a su madre pero esta le convence para ir con la profesora. "Vamos, Dani, ese eres tú, tienes que ir".

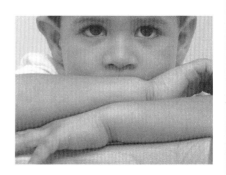

Ayer fue el primer día de colegio para Daniel.

_____

_____

_____

7 Completa con el pretérito indefinido o el pretérito imperfecto de los verbos entre paréntesis.

1 La primera chica con la que (salir, yo) _____ la (conocer, yo) _____ en el cumpleaños de mi primo Juan. Marta (ser) _____ la chica más guapa de la fiesta, (llevar) _____ una ropa muy moderna y (tener) _____ el pelo muy largo. Después de un buen rato, cuando ella (estar) _____ sentada con una amiga (decidir, yo) _____ sentarme a su lado. Entonces (empezar, nosotros) _____ a hablar y después la (invitar, yo) _____ a tomar algo y ¡mira!, no hemos vuelto a separarnos desde entonces.

2 Cuando Ernesto (llegar) _____ a la estación de tren todavía era pronto y, por eso, (entrar) _____ en una de las tiendas para ver lo que (haber) _____. (Encontrar, él) _____ una colección de cromos de fútbol que (tener, él) _____ cuando (ser) _____ pequeño. ¡Qué buenos recuerdos! En ese momento (ver, él) _____ que el tren (llegar) _____ a la estación. Entonces (salir) _____ de la tienda a toda prisa y cuando (entrar) _____ en el tren (darse) _____ cuenta de que (tener) _____ la colección de cromos en la mano.

8 Completa las frases utilizando los conectores *porque, pero, por eso, cuando*, que correspondan.

1 Normalmente _____ viajo en autobús me mareo, prefiero el tren o el avión.

2 Me encanta el español _____ no me gusta la gramática, sobre todo los verbos irregulares.

3 Soy noruego y vivo en Oslo, el mes pasado conocí a una chica argentina en internet y me enamoré, _____ estudio español ahora.

4 Ayer, _____ llegué a clase, no había nadie, me pareció muy extraño _____ todos los días suelo ser la última en llegar.

5 Esta mañana no he ido a clase _____ me dolía la cabeza, _____ esta tarde ya me encuentro bien.

6 Es una persona muy inteligente _____ también muy antipática, _____ no tiene amigos.

7 Nunca tuvo una buena relación con sus padres, _____ se fue de su casa con 18 años, dejó el pueblo y se vino a vivir a Barcelona _____ aquí vivía una prima suya. _____ llegó no tenía trabajo _____ el novio de su prima tenía un bar y empezó a trabajar de camarero.

8 Ayer por la noche me quedé viendo una película de terror en la tele. _____ acabó me fui a la cama _____ no podía dormir _____ recordaba las imágenes terroríficas de la película. Al final creo que me dormí a las cuatro de la mañana, _____ estoy tan cansado hoy.

9 Lee el texto y contesta a las preguntas.

Bueno, bonito y barato

En muchos pueblos y ciudades de España un día a la semana, a veces más, se celebra un mercadillo, es un mercado normalmente al aire libre y con muchos "puestos" que se montan por la mañana muy temprano y se desmontan al mediodía o por la tarde. En estos puestos se vende casi de todo, comida, ropa, zapatos, cuadros, gafas de sol, libros, teléfonos, relojes, juguetes, objetos de decoración, cámaras de fotos... cosas nuevas y viejas. Puedes encontrar también antigüedades verdaderas y falsas, y el precio puede ser mucho más barato de lo normal, es decir, una "ganga", o se vende por un precio mucho más alto de su valor real, es decir, una "estafa", por eso hay que tener mucho cuidado. Algo que también se suele hacer en los mercadillos es "regatear", el comprador ofrece un precio más bajo del que marca el vendedor, por eso muchos vendedores ponen un precio más alto y después aceptan regatear.

Algunos ejemplos de mercadillos que puedes encontrar son: El mercado da Chuvia (*lluvia* en gallego) en Santiago de Compostela, donde todos los jueves más de 100 artesanos venden sus productos hechos en tela, cuero, barro y bronce. El Rastro, en Madrid, todos los domingos. El Jueves, el mercadillo de Sevilla que lleva ese nombre por el día en el que se celebra. En Granada, La Alcaicería que parece un bazar árabe y se celebra todos los días. Y los Encants Vells en Barcelona, los lunes, miércoles, viernes y sábados.

1 ¿Qué productos, de los que aparecen en el texto, compras normalmente y dónde los sueles comprar?

_____

2 Puedes consultar internet y hacer una lista de tres mercadillos que recomiendas visitar en tu país. Escribe la información del lugar, el nombre, los productos que venden, el día de la semana que se celebra...

_____

3 ¿Has visitado alguna vez un mercado o mercadillo? Explica cómo fue tu experiencia, dónde estaba, cuándo fuiste, con quién ibas, qué vendían, qué compraste...

_____

4 ¿Qué mercadillo de los que se mencionan en el texto te gustaría visitar?

_____

1 ¿Crees en el horóscopo? Completa los textos transformando los infinitivos en futuro imperfecto.

ARIES

Trabajo: (conocer) (1) *conocerás* a una persona que (ser) (2) _____ muy importante para tu desarrollo profesional.
Amor: (vivir) (3) _____ una aventura romántica con tu pareja.
Salud: (tener) (4) _____ pequeños problemas de estómago.

TAURO

Trabajo: (trabajar) (5) _____ en un proyecto importante y (progresar) (6) _____ profesionalmente.
Amor: (tomar) (7) _____ decisiones sobre tu relación que os (beneficiar) (8) _____ a los dos.
Salud: (deber) (9) _____ cuidar la garganta, es tu punto débil.

GÉMINIS

Trabajo: (saber) (10) _____ aprovechar las nuevas oportunidades que se presentan.
Amor: no lo dudes, tu pareja te (apoyar) (11) _____ en todo y te (dar) (12) _____ fuerzas para resolver tus dudas.
Salud: (cuidar) (13) _____ tu alimentación y (notar) (14) _____ los beneficios.

CÁNCER

Trabajo: (continuar) (15) _____ en el mismo trabajo pero con más responsabilidades.
Amor: (enamorarse) (16) _____ de una persona de tu círculo profesional.
Salud: (estar) (17) _____ un poco estresado.

LEO

Trabajo: (conseguir) (18) _____ un nuevo trabajo.
Amor: tu pareja te (hacer) (19) _____ una propuesta que no (poder) (20) _____ rechazar.
Salud: después de un tiempo con problemas (volver) (21) _____ a sentirte bien y con mucha energía.

VIRGO

Trabajo: (colaborar) (22) _____ en un nuevo proyecto que te (convertir) (23) _____ en famoso.
Amor: (casarse) (24) _____ con una persona con mucho dinero.
Salud: sin problemas.

LIBRA

Trabajo: (crear) (25) _____ un negocio nuevo muy bueno.
Amor: (estar) (26) _____ en tu mejor época.
Salud: (controlar) (27) _____ el estrés y (recuperar) (28) _____ el equilibrio.

ESCORPIO

Trabajo: (encontrar) (29) _____ un trabajo en un país extranjero con muchas posibilidades de futuro.
Amor: (poner) (30) _____ mucha ilusión en una nueva relación que (ir) (31) _____ muy bien.
Salud: si te sigues cuidando como hasta ahora, (mantener) (32) _____ siempre una buena salud.

SAGITARIO

Trabajo: (empezar) (33) _____ un nuevo proyecto que (ser) (34) _____ un éxito.
Amor: (solucionar) (35) _____ todos los problemas con tu pareja y (disfrutar) (36) _____ de una época muy feliz.
Salud: (sentirse) (37) _____ fuerte y con muy buena energía.

CAPRICORNIO

Trabajo: (necesitar) (38) _____ paciencia para resolver problemas profesionales.
Amor: (viajar) (39) _____ a otro país y (descubrir) (40) _____ el verdadero amor.
Salud: (cambiar) (41) _____ algunos de tus hábitos malos.

ACUARIO

Trabajo: te (desarrollar) (42) _____ en una nueva profesión con mucho éxito.
Amor: (renacer) (43) _____ una relación del pasado que fue muy importante.
Salud: problemas con la comida, (engordar) (44) _____ y (adelgazar) (45) _____ con facilidad.

PISCIS

Trabajo: (aparecer) (46) _____ nuevas oportunidades profesionales.
Amor: (recibir) (47) _____ una llamada de una persona de tu pasado que (poner) (48) _____ en peligro tu relación actual.
Salud: (mejorar) (49) _____ tus problemas de espalda.

2 Los horóscopos anteriores son de una revista del año pasado. Piensa en cómo fue tu año, ¿cuál se parece más a lo que ocurrió en tu vida el año pasado?

3 Escribe lo que te gustaría leer en tu horóscopo para el próximo año.

Trabajo: _____

Amor: _____

Salud: _____

4 Imagina qué te sucederá en estas situaciones futuras. Escribe frases como en el ejemplo.

1 Si llego a tener un puesto muy importante en mi empresa,...

- *tendré muchos empleados a mi cargo.*
- *ganaré un buen sueldo.*
- *viajaré a menudo.*
- *pasaré poco tiempo con mi familia.*

2 Si conozco al hombre / a la mujer de mi vida,...

_____

_____

_____

3 Si aprendo a hablar muy bien español,...

_____

_____

_____

4 Si me voy a vivir al extranjero,...

_____

_____

_____

5 Lee las siguientes frases y opiniones de unos estudiantes y expresa acuerdo o desacuerdo. Después, puedes comentarlo con tu compañero.

Acuerdo	Desacuerdo
Estoy de acuerdo.	No estoy de acuerdo.
Tienes razón.	Yo no lo veo así.
A mí me pasa lo mismo.	A mí no me pasa lo mismo.

1 No me gusta hablar en público en español porque todavía me siento un poco inseguro.

2 Yo no entiendo a los españoles porque hablan muy rápido.

3 Yo opino que no hay idiomas más fáciles o difíciles que otros.

4 Si ves películas o programas de televisión, mejorarás mucho tu español.

5 No importa si cometes errores, lo importante es comunicarse.

6 Para mí lo más difícil en español son los verbos.

7 A mí lo que me resulta más difícil es la pronunciación.

8 Para los que hablan lenguas románicas como el portugués, el francés o el italiano, el español es más fácil.

6 Completa las frases como en el ejemplo.

1   Tendré un hijo *si mi pareja también quiere.*
2   Trabajaré en España _____ .
3   Seré famoso/-a _____ .
4   Daré la vuelta al mundo _____ .

5   Me cambiaré de casa _____ .
6   Tendré un animal en casa _____ .
7   Cambiaré de trabajo _____ .
8   Me compraré un coche nuevo _____ .

7 Formula deseos con la expresión (no) *me gustaría* + infinitivo y justifícalos.

1   *Me gustaría mucho conocer a Penélope Cruz porque me encantan sus películas y creo que es una actriz muy guapa.*

2

3

4

5

6

7

8

9

8 Hemos llegado al a última unidad del primer bloque de ELExprés. ¿Qué tal llevas el curso?
Contesta a las preguntas del cuestionario que te planteamos y elabora un texto con
tus impresiones sobre tu progreso en español y tus expectativas sobre el resto del curso.

Cuestionario

1 ¿Cómo ha evolucionado tu competencia comunicativa en español...?

	NADA	UN POCO	BASTANTE	MUCHO
– al hablar				
– al escuchar				
– al escribir				
– al leer				

2 ¿Cómo ha(n) mejorado...?

	NADA	UN POCO	BASTANTE	MUCHO
– tus funciones comunicativas				
– tus conocimientos gramaticales				
– tu vocabulario				
– tus conocimientos culturales				

3 En tu opinión, ¿qué hay que hacer para aprender bien una lengua extranjera?
Escribe los tres aspectos más importantes.

1 _____
2 _____
3 _____

4 Responde a las preguntas.

1 ¿Crees que hablar otros idiomas te puede ayudar a aprender más rápido español?

2 ¿Cómo crees que se aprende mejor: solo o con otros compañeros?

3 ¿Crees que para aprender bien español es necesario viajar a países de habla hispana?

5 Tu nivel general de satisfacción respecto a tu progreso en el curso es:

☐ Bajo   ☐ Normal   ☐ Alto   ☐ Muy alto

16 Nos vamos de fiesta

1 Clasifica estos verbos irregulares y completa los cuatro grupos con el infinitivo y la primera persona del singular y del plural del presente de indicativo.

~~acostarse~~	caerse	~~comenzar~~	contar	conseguir	corregir	dar	despedir	divertirse	doler
dormir	~~elegir~~	empezar	encender	encontrar	entender	fregar	hacer	llover	mentir
mostrar	morir	mover	pedir	pensar	perder	poder	poner	probar	querer
~~saber~~	salir	sentarse	sentir	servir	traer	valer	ver	vestirse	volver

e-ie
comenzar: comienzo, comenzamos

_____
_____
_____

o-u
acostarse: me acuesto, nos acostamos

_____
_____
_____

e-i
elegir: elijo, elegimos

_____
_____
_____

Primera persona del singular irregular
saber: sé, sabemos

_____
_____
_____

2 Describe estas situaciones con presentes irregulares en primera persona del singular.

1 _____

¿Dónde está Buñol?

2 _____

CLAC

3 _____

4 _____

5 _____

DICCIONARIO

6 _____

3 Lee el texto y señala si las siguientes afirmaciones son verdaderas (V) o falsas (F).

La Feria de Abril de Sevilla se suele celebrar todos los años en el mes de abril (o de mayo), normalmente una o dos semanas después de Semana Santa, en un recinto, llamado el Real de la feria. Empieza un lunes, el "lunes del alumbrao" y termina el siguiente domingo a medianoche cuando se apagan todas las luces y la fiesta acaba con un castillo de fuegos artificiales.

A las doce de la noche del lunes, se encienden unas 300 000 bombillas y a continuación tiene lugar la tradicional cena del "pescaíto", a base de pescado variado y frito.

A lo largo de todo el recinto ferial se instalan las casetas, que están hechas con toldos de lona y tienen que ser de rayas de color rojo y blanco o verde y blanco y el frente de madera. Hay casetas privadas, de familias y empresas a las que solo se puede acceder con invitación, pero también hay casetas públicas, del ayuntamiento y de partidos políticos y sindicatos. En todas las casetas se sirve comida, bebida y se baila flamenco y sevillanas.

Se puede llegar a la feria en coche o en transporte público. Hay también mucha gente que prefiere hacer el paseo a caballo o en calesa* y entrar en la feria igual que se hacía antiguamente. Muchas mujeres van vestidas con su traje de flamenca de diferentes colores y formas, los hombres van con traje y algunos con sombrero.

Los aficionados a los toros pueden disfrutar también, durante esta semana de feria, de importantes corridas en la plaza de toros de la Maestranza que está en el barrio del Arenal.

*Carro tirado por caballos.

1 ☐ La feria empieza el mismo día todos los años.
2 ☐ No se puede utilizar cualquier color para la lona de las casetas.
3 ☐ Las casetas se distribuyen por toda la ciudad de Sevilla.
4 ☐ Todas las casetas tienen entrada libre.

5 ☐ Las mujeres que se visten de flamenca llevan un sombrero en la cabeza.
6 ☐ Hay diferentes medios de transporte para llegar a la feria.
7 ☐ En el recinto de la feria se pueden ver corridas de toros.

4 Completa la siguiente conversación utilizando uno de estos verbos en presente de indicativo.

ponerse • ~~empezar~~ • querer • desayunar • reservar • salir • tener • poder
sentirse • haber • saber • acostarse • sentarse • ir • ser • encender

■ El próximo martes (1) *empieza* la Feria de Abril en Sevilla, ¿vas a ir?

● Pues... (Yo) (2) _____ ir pero no (3) _____ si puedo. Todos los años digo lo mismo y al final no (4) _____. Tú sí que vas, ¿no?

■ ¡Por supuesto! Todos los años (5) _____ unos días de vacaciones para poder ir. ¡Es tan divertida!

● Ya, (yo) (6) _____ muchas ganas de ir, además mi hermano tiene unos amigos que viven en Sevilla y (yo) (7) _____ dormir en su casa.

■ A mí me gusta estar allí desde el primer momento, cuando (ellos) (8) _____ las luces, (9) _____ un espectáculo. Y luego ya... ¡fiesta sin parar!

● ¿Pero tú estás allí todos los días?

■ ¡Desde luego! Mira, yo por la mañana me levanto sobre las diez, (10) _____ mi traje de flamenca, (11) _____ de casa y me voy a la feria. Primero (12) _____ unos churros con chocolate y luego doy una vuelta por las casetas.

● ¿Y comes también allí?

■ Claro, allí no paras de comer en todo el día, en cada caseta (13) _____ vino y comida para picar. Casi siempre comes de pie, yo casi nunca (14) _____.

● ¡Caramba! No paras, pero duermes poco, ¿no?

■ Sí, muy poco, (15) _____ tarde, sobre las cinco de la madrugada y me levanto a las diez... pero solo son unos días, vale la pena.

● ¿Y durante el día no te (16) _____ mal, cansada?

■ Bueno, un poco, al levantarme lo noto, pero ¡vale la pena!

● ¡Me has convencido! Este año tengo que ir sin falta.

5 Fíjate en estas dos frases. ¿Qué diferencias observas? Después, describe las fotos utilizando las dos estructuras.

a *En México, la gente celebra el Día de Muertos el 1 y 2 de noviembre.*

b *En México, el Día de los Muertos se celebra el 1 y 2 de noviembre.*

a *El día 31 de diciembre los españoles comen doce uvas.*

b _____
_____

a _____
_____

b _____
_____

6 Completa las frases con los siguientes verbos. En algún caso puede haber más de una solución.

poner • sonar • quitar • encender • hacer • apagar

1 Después de cenar (yo) _____ la mesa.
2 No soporto ese programa, cuando lo ponen _____ la televisión.
3 Cuando quiero escuchar música, _____ la radio.
4 ¿A qué hora (yo) _____ el despertador para mañana?
5 He engordado tres kilos, por eso _____ gimnasia todos los días.

6 Por las mañanas, cuando _____ el despertador lo _____, espero cinco minutos y luego me levanto.
7 Cuando llego a casa _____ la televisión aunque no la mire, pero me hace compañía.
8 ¿Por qué _____ la radio? ¿No ves que la estoy escuchando yo?

7 Juan está de vacaciones. Fíjate en las imágenes y escribe qué hace Juan durante el día, utilizando los marcadores de tiempo y orden: *por la mañana, por la tarde, después, luego...*

Por la mañana se levanta... _____
_____
_____
_____

8 Completa los siguientes diálogos utilizando las preposiciones *de* y *por* según corresponda.

1 ■ ¿Cuándo vas a la playa?
● Pues me gusta ir _____ la mañana muy temprano o si no a partir de las cinco _____ la tarde.

2 ■ ¿Cuántas comidas haces al día?
● Cinco, _____ la mañana desayuno, sobre las once tomo una fruta, como a las dos, a las seis _____ la tarde meriendo y luego ceno _____ la noche, sobre las diez.

3 ■ ¿A qué hora hay tren para A Coruña?
● _____ la mañana tienes uno cada hora y a partir de las dos _____ la tarde hay tren cada media hora.

4 ■ ¿Cuándo empieza la clase de aerobic?
● Uy, tienes varias. A las diez _____ la mañana la primera, después _____ la tarde tienes más.

5 ■ ¿Cuándo vas al gimnasio?
● Tengo clase de zumba a las ocho _____ la mañana, y si me quedo dormido voy _____ la tarde después del trabajo.

6 ■ ¿Qué horario tienes este curso?
● ¡Horroroso! Tengo clase todos los días de ocho _____ la mañana a cinco _____ la tarde. Y los viernes _____ la tarde tengo trabajo en grupo en la biblioteca.

9 ¿Sabías que el apóstol Santiago es el patrón de España? Completa el texto con uno de estos verbos en presente de indicativo.

ser (x2) ● estar ● difundir ● descubrir ● celebrar ● terminar ● ordenar ● convertir ● surgir

La fiesta de Santiago se (1) _____ el día 25 de julio en toda España, pero especialmente en Santiago de Compostela, ciudad donde (2) _____ el Camino de Santiago.
El Camino de Santiago (3) _____ una ruta de peregrinación que (4) _____ en la Edad Media. El objetivo (5) _____ llegar hasta Santiago de Compostela, donde presuntamente (6) _____ los restos del apóstol Santiago el Mayor. Según un relato legendario, el obispo Teodomiro, a comienzos del siglo ix, (7) _____ los restos del apóstol y el rey Alfonso II el Casto (8) _____ construir una iglesia. La noticia se (9) _____ rápidamente por toda la cristiandad y Santiago de Compostela se (10) _____ en objetivo fundamental de las peregrinaciones cristianas.

dar ● llegar ● venir ● construir ● deber ● ser ● fijar

En la época de mayor esplendor del Camino –siglos xi y xii– se (11) _____ hospederías y hospitales donde se (12) _____ cobijo a los peregrinos y se (13) _____ las principales rutas. (14) _____ todo tipo de peregrinos, de cualquier comarca cristiana de Europa, con intereses tanto religiosos como económicos.
Pero el Camino de Santiago no (15) _____ solo una vía de peregrinación religiosa, sino que también (16) _____ corrientes de pensamiento, literarias y artísticas. El estilo románico y gótico le (17) _____ su existencia al Camino.

10 Elige una fiesta de tu país y escribe el texto para un folleto turístico.

No olvides incluir:
● nombre de la fiesta
● dónde, cuándo y por qué se celebra
● costumbres: comida, música, ropa, etc.

1 Estos verbos tienen participios pasados irregulares. ¿Recuerdas las formas? Después, escribe frases, como en el ejemplo.

1 ver _____
2 decir _____
3 morir _____
4 poner _____
5 escribir _____
6 romper _____
7 abrir _____
8 hacer _____
9 componer _____
10 volver _____
11 cubrir _____

1 *"Las canciones de este disco las he compuesto sin miedos, sin complejos". (Alejandro Sanz)*

2 _____
3 _____
4 _____
5 _____
6 _____
7 _____
8 _____
9 _____
10 _____
11 _____

2 Completa la tabla con las formas del pretérito indefinido.

	ir / ser	poner	querer
yo	fui		quise
tú		pusiste	
él, ella, usted	fue		quiso
nosotros/-as		pusimos	
vosotros/-as	fuisteis		quisisteis
ellos, ellas, ustedes		pusieron	

3 Escribe las formas correspondientes del pretérito indefinido.

1 poner, vosotros _____

2 dar, tú _____

3 tener, nosotros _____

4 hacer, yo _____

5 ser, ella _____

6 saber, ellos _____

7 poner, tú _____

8 querer, yo _____

9 haber, él _____

10 venir, nosotros _____

11 hacer, ella _____

12 saber, yo _____

13 dar, vosotras _____

14 venir, tú _____

4 Elige el pretérito perfecto o el pretérito indefinido, según corresponda, en cada una de las siguientes expresiones temporales.

1 El lunes pasado   *pretérito indefinido*
2 Este año   _____
3 Hace dos años   _____
4 Nunca en mi vida   _____
5 La semana pasada   _____

6 En abril   _____
7 El 1 de enero de 2000   _____
8 Todavía no   _____
9 Anoche   _____
10 Ya   _____

5 Relaciona y forma frases usando los verbos en pretérito indefinido.

Cuando

El año pasado

La última vez que

Anoche

| pasar |
| poner |
| viajar |
| estar |
| conocer |
| celebrar |
| ir |
| dar |
| divertirse |
| comprar |

_____
_____
_____
_____
_____
_____
_____
_____
_____
_____

6 Fíjate en las imágenes y escribe si alguna vez has hecho o no las siguientes actividades y cuándo.

1 _____

2 _____

3 _____

4 _____

5 _____

6 _____

7 Completa con las formas de pretérito perfecto o pretérito indefinido adecuadas.

1 El domingo (hacer, nosotros) _____ una excursión por el Parque Natural del Río Duratón. (Estrenar) _____ el nuevo todoterreno que compramos la semana anterior. (Estar) _____ lloviendo toda la mañana, pero (decidir, nosotros) _____ lanzarnos a la aventura. Desde el aparcamiento (bajar) _____ por una zona muy resbaladiza hasta el nivel del río, que en esta época del año está muy bajo. (Estar) _____ a punto de caernos varias veces, pero nos (gustar) _____ mucho. Creo que volveremos a repetir la excursión.

3 La cantante Shakira (estar) _____ estos días en España para promocionar su último trabajo discográfico. El sábado (participar) _____ en un concierto a beneficio de la Fundación Pies descalzos, celebrado en la plaza de toros de Las Ventas, en el que (intervenir) _____ artistas como Juanes o su buen amigo Alejandro Sanz. El domingo (actuar) _____ en directo en un programa de televisión. Antes de venir a España, (estar) _____ en Alemania e Italia, donde (obtener) _____ un gran éxito con su disco, especialmente, entre los latinos que viven en esos dos países.

2 Nosotros también (ir) _____ al pueblo hace tres fines de semana, pero este (quedarse) _____ en Madrid. Las carreteras se atascan mucho y preferimos estar en casa. (Aprovechar) _____ para ir de compras de Navidad, (recorrer) _____ algunas tiendas del centro y (tener) _____ tiempo hasta de ir al Rastro. Esto fue el domingo por la mañana, para cambiar los cromos de la colección de fútbol de Daniel. Por la tarde, (ver) _____ una película de Disney con los niños. ¡Les (encantar, la película) _____!

4 En el partido de fútbol de ayer, todos los jugadores de la selección argentina (demostrar) _____ que forman un gran equipo, como el que jugaba en los tiempos del mítico Maradona. Durante estos últimos partidos del Mundial de fútbol, los argentinos (saber) _____ entenderse a la perfección y hacer un buen juego; así (callar, ellos) _____ las críticas de aquellos que no (confiar) _____ nunca en ellos. Todos los diarios deportivos (señalar) _____ este hecho en sus portadas.

8 Elige cinco países, ciudades o lugares que has visitado y explica cuándo has estado o estuviste, qué has hecho o hiciste y cómo fue o ha sido la experiencia.

1 _____

2 _____

3 _____

4 _____

5 _____

9 Lee las siguientes afirmaciones y escribe tu opinión, dando argumentos.

1 Hay cosas que la razón no puede explicar, por ejemplo, la existencia de ovnis.

_____

2 Es imposible vivir en una gran ciudad sin teléfono móvil.

_____

3 Antes los niños tenían una alimentación más sana. Ahora comen demasiados dulces y comida industrial.

_____

4 Las cartas del tarot son muy útiles para adivinar el futuro porque casi siempre aciertan.

_____

10 Explica qué sabes y qué experiencias has tenido con los siguientes estilos de música. Te pueden ser útiles estas palabras.

álbum • disco • concierto • versión • canción
cantante • escenario • instrumento • componer
compositor • éxito • letra • ritmo

1 Salsa

   -Tengo un amigo que es cubano y vive aquí. Hace un año me enseñó a bailar salsa. Al principio me pareció difícil pero fue muy divertido. Ahora me encanta la salsa.

   -Yo nunca he bailado salsa, pero he ido a fiestas y a discotecas de salsa, me parece una música muy alegre.

   -No he bailado nunca salsa porque no me gusta este tipo de música, me cansa mucho.

_____

2 Rock

_____

3 Pop

_____

4 Flamenco

_____

5 Rap y hip-hop

_____

6 Jazz

_____

7 Clásica

_____

Recordar el pasado: los viajes

1 Compara las dos imágenes de cómo era antes la ciudad y cómo es ahora y señala las diferencias.

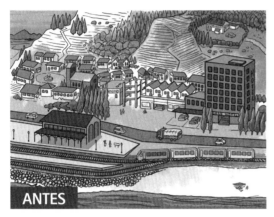

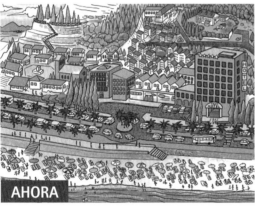

2 Escribe las formas correspondientes del pretérito imperfecto y del pretérito pluscuamperfecto.

	Pretérito imperfecto	Pretérito pluscuamperfecto
1 hacer, él		
2 vivir, tú		
3 estar, vosotros		
4 viajar, ella		
5 escribir, ellos		
6 ser, yo		
7 decir, nosotras		
8 dar, tú		
9 romper, ellas		
10 saber, yo		
11 ir, vosotras		
12 leer, nosotros		
13 ver, él		
14 poner, yo		

3 ¿Qué buenos recuerdos guardas de tu pasado? Piensa en uno de ellos y descríbelo.
El pretérito imperfecto te va a resultar muy útil.

Mi primera fiesta:

Mi primer trabajo:

Mi (primera) casa:

_____

_____

_____

_____

4 ¿Qué hacías cuando eras adolescente? Explica cuáles de estas cosas hacías o no, con
qué frecuencia, cuándo, dónde, con quién...

1 ¿Contactabas con tus amigos en redes sociales?
Nunca. Cuando era adolescente no existían las redes sociales. No había móviles tampoco. En
aquella época para hablar con mis amigos los llamaba a su casa o los veía en el instituto.

_____

2 ¿Salías con tus padres?

_____

3 ¿Ibas a fiestas por la noche?

_____

4 ¿Mentías a tus padres?

_____

5 ¿Escuchabas música?

_____

6 ¿Hacías deporte?

_____

7 ¿Navegabas por internet?

8 ¿Jugabas con videojuegos?

_____

_____

9 ¿Ibas al cine con tus amigos?

_____

_____

5 Relaciona las frases de la primera columna con su continuación en la segunda.

1 De niño, cuando nevaba,...

2 En Navidad, si cantábamos un villancico,...

3 Siempre que tenía un examen...

4 Antes siempre escuchaba música...

5 En la universidad, si llegabas tarde a clase,...

6 El otro día, cuando me estaba duchando,...

7 Cuando llegaron mis padres,...

8 Cuando llegamos a la estación,...

a cortaron el agua. ¡Qué horror!

b salía el tren.

c yo no estaba en casa.

d no íbamos al colegio.

e mis abuelos y mis tíos nos daban unas monedas.

f me ponía muy nerviosa y no podía dormir.

g mientras estudiaba.

h los profesores no te decían nada.

6 Lee con atención estas frases y contesta a las preguntas.

a Cuando <u>entré</u> en la agencia de viajes, ya <u>había decidido</u> mis vacaciones.

b Cuando <u>entré</u> en la agencia de viajes, <u>estaba decidiendo</u> mis vacaciones.

1 ¿Qué tipo de relación temporal hay entre los verbos subrayados?

_____

2 ¿Eres capaz de inventar dos frases del mismo tipo?

_____

7 Forma frases usando el pretérito pluscuamperfecto, como en el ejemplo.

> Cuando (verbo 1) ... // ya / todavía no (verbo 2) ...

Ver la película de Harry Potter. Leer el libro.
Cuando vi la película de Harry Potter, ya había leído el libro.
Cuando vi la película de Harry Potter, todavía no había leído el libro.

1 Entrar en la agencia de viajes. Ver algunos catálogos de vacaciones.

_____

2 Subir al autobús. Robarme la cartera.

_____

3 Llegar el cartero. Salir de casa.

_____

4 Llegar al aeropuerto. Reservar los asientos del avión por internet.

_____

5 Comprar el coche nuevo. Vender el coche viejo.

_____

6 Llegar al auditorio. Empezar el concierto.

_____

7 Estudiar español. Viajar a algún país donde se habla español.

_____

8 Poner la canción en la radio. Escucharla antes.

_____

8 Imagina respuestas para estas preguntas. Usa, preferiblemente, el pretérito imperfecto o el pretérito pluscuamperfecto.

1 ¿Por qué la profesora no llegó a tiempo al examen de ayer?

_____

2 ¿Por qué no me llamaste para ayudarte con el cambio de casa?

_____

3 ¿Por qué ayer no pudo circular el tren AVE de las dos entre Madrid y Sevilla?

_____

4 ¿Por qué no viniste con nosotros el sábado a ver la película?

_____

5 ¿Por qué no pudisteis llegar a la estación de esquí el domingo pasado?

_____

6 ¿Por qué no sacaste una buena nota en el examen de español?

_____

7 ¿Por qué no entregaste el resumen del libro que nos había pedido el profesor?

_____

9 Completa las frases con estas palabras.

la barra • el billete • el vuelo • un pasajero
la ventanilla • rascacielos • el paraguas • la tesis

1 Lo que más me impresionó de Nueva York fue la cantidad de _____ que hay, es impresionante la altura de algunos de ellos.

2 Ya tengo _____ para viajar a Argentina en Navidad.

3 Si quieres visitar Asturias, no te olvides _____ porque casi siempre llueve.

4 Cuando viajo en avión me gusta ir en el lado de _____ .

5 El avión salió con retraso porque tuvo que esperar a _____ .

6 Me gusta viajar con esa compañía porque durante _____ te sirven comida y bebida gratis.

7 Mientras te esperaba, me tomé un café en _____ del bar del aeropuerto.

8 Está muy nervioso porque el próximo miércoles tiene que presentar _____ en la universidad.

19 ¡Ojalá cuidemos nuestro planeta!

1 Completa las frases con estas palabras.

una fuente de energía • la deforestación • la construcción masiva • la contaminación • reciclar
vertidos tóxicos • la emisión de humos • consumo racional • la basura • envases

1 Una empresa ha sido multada con 500 000 euros por echar _____ en unos terrenos en las afueras de un pequeño pueblo de 5000 habitantes.

2 Es necesario que los padres enseñen a los hijos a _____ y a tener conciencia medioambiental.

3 _____ ha dejado algunas partes de la costa llena de hoteles y grandes edificios de apartamentos que llegan casi al mar, se han perdido muchas playas vírgenes y otras están contaminadas.

4 El gobierno prepara una ley para controlar y multar _____ contaminantes de las fábricas del país.

5 Separar _____ en los diferentes contenedores, reducir la compra de alimentos en _____ de plástico y hacer un _____ del agua, la electricidad y el gas, son acciones diarias para reducir _____ del planeta.

6 El sol es _____ inagotable, ¡aprovéchala!

7 Greenpeace alerta de que _____ que sufre México es una de las más altas del planeta, cada año se pierden 500 000 hectáreas de bosques y selvas, y denuncia que hasta un 70% de la madera que se utiliza procede de árboles cortados ilegalmente.

2 Clasifica estos verbos según su irregularidad y conjúgalos en la primera persona del singular y del plural del presente de subjuntivo y completa los cuatro grupos.

volver • aparcar • hacer • dar • llegar • comenzar • sacar • ser • entender • saber
marcar • poder • haber • mentir • probar • perder • divertirse • encontrar • tener

o>ue
Soñar: sueñe, soñemos

_____

_____

_____

_____

g>gu, c>qu
Pagar: pague, paguemos

_____

_____

_____

_____

e>ie
Pensar: piense, pensemos

_____

_____

_____

_____

Irregularidades específicas en presente de subjuntivo
Ir: vaya, vayamos

_____

_____

_____

_____

3 Relaciona cada verbo con su presente de indicativo. Después, escribe el presente de subjuntivo correspondiente.

1	hacer	a	construyo	1	_____
2	coger	b	empiezo	2	_____
3	venir	c	salgo	3	_____
4	pedir	d	cojo	4	_____
5	construir	e	hago	5	_____
6	poner	f	conozco	6	_____
7	empezar	g	pido	7	_____
8	salir	h	digo	8	_____
9	decir	i	pongo	9	_____
10	conocer	j	vengo	10	_____

4 Usa el verbo *querer* para formar frases como las del ejemplo.

> (Sujeto 1) *querer* + (sujeto 1) infinitivo
> (Sujeto 1) *querer que* + (sujeto 2) presente de subjuntivo

  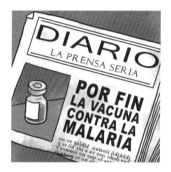

1 *No quiero ver la basura fuera de los contenedores. Quiero que mis hijos aprendan a reciclar.*

2 _____

3 _____

> Ojalá (que)
> Espero que   + presente de subjuntivo

5 Mira los dibujos y formula deseos.

 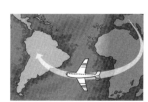

1 *Ojalá deje de llover pronto.*   2 _____   3 _____   4 _____

5 _____   6 _____   7 _____

6 Completa las frases con uno de estos verbos en el tiempo correspondiente.

invertir • estar • cumplir • ayudar • aprender • aparecer

1 Los gobiernos de todo el mundo esperan que las energías renovables _____ a frenar el cambio climático.

2 ¡Ojalá los países _____ cada vez más en recursos en energías renovables!

3 Para nuestros hijos, queremos que la naturaleza _____ limpia.

4 Esperamos que los jóvenes _____ a valorar y usar racionalmente las fuentes de energía.

5 No queremos que los ríos y los mares _____ llenos de residuos industriales.

6 ¡Que todos estos deseos se _____! Esa es nuestra esperanza.

7 Selecciona uno de estos lemas publicitarios sobre reciclaje que te proponemos e imagina en qué consiste. Explícalo de forma breve.

SI RECICLAS LA BASURA, DEJA DE SER BASURA
(Asurín)

Un vidrio puede tener muchas vidas. Recíclalo
(Ecovidrio)

Separar y reciclar está en tus manos
(Región de Murcia)

SI NO QUIERES QUE EL SISTEMA DE RECICLADO SE PARE, ¡SEPARA!
(Federación Andaluza de Municipios y Provincias)

_____

_____

_____

8 Lee el texto y relaciona los siguientes títulos con cada párrafo.

- ✔Requisitos para participar
- ✔Ciudades ganadoras
- ✔Beneficios del premio
- ✔Mensaje que difunde el premio
- ✔Objetivos del premio

PREMIO CAPITAL VERDE EUROPEA

1 _____

Este premio, que concede la Comisión Europea desde el 2010, quiere reconocer a las ciudades que están haciendo esfuerzos para mejorar el medio ambiente urbano y avanzar hacia las zonas de vida más sanas y sostenibles. Y que las ciudades premiadas puedan servir de ejemplo, inspirar, y compartir sus iniciativas con las demás ciudades.

2 _____

La idea que se defiende es que todos los ciudadanos tienen derecho a vivir en ciudades saludables. Por eso, las ciudades tienen que hacer esfuerzos por mejorar la calidad de vida y reducir las acciones que perjudican el medio ambiente.

3 _____

Pueden participar todas las ciudades de más de 200 000 habitantes. Si en el país no hay ninguna ciudad con tantos habitantes, puede presentarse la ciudad que más habitantes tenga.

Las ciudades que se presentan han de pertenecer a cualquier país de la Unión Europea, a los candidatos (Turquía, Macedonia, Montenegro, Islandia) y a países del espacio económico europeo (Liechtestein, Noruega, Suiza). Tienen que tener un compromiso para conseguir grandes objetivos para mejorar el medio ambiente y el desarrollo sostenible relacionados con: los transportes, espacios verdes, ruido, producción y gestión de residuos, aire, consumo de agua, tratamiento de aguas residuales, innovaciones ecológicas y eficiencia de la energía.

4 _____

Las ciudades ganadoras o finalistas reciben muchas compensaciones. Entre ellos: el aumento del turismo. Crean más puestos de trabajo porque aumenta su exportación de productos verdes y servicios, también reciben más subvenciones y tienen más patrocinadores para proyectos del medio ambiente. Y no hay que olvidar su gran mejora de la imagen internacional.

5 _____

La ciudad española Victoria-Gasteiz está en la lista de las ganadoras. Recibió el premio en 2012, por su gran cantidad de zonas verdes, todos sus habitantes viven a menos de 300 metros de un parque o jardín. También su plan de gestión de los residuos y del consumo de agua, con el objetivo de llegar a los 100 litros al día por persona. Su contaminación lumínica es muy baja. Y, además, por su ubicación y su naturaleza es una de las ciudades más sanas para vivir.

http://www.ecologiaverde.com

9 Vuelve a leer el texto y selecciona la opción correcta.

1 En el párrafo 3, *producción y gestión de residuos* se refiere a:
   a La contaminación de las fábricas e industrias.
   b La cantidad de basura y residuos y cómo se reciclan.
   c Los ciudadanos y cómo gestionan y reciclan sus basuras.

2 En el párrafo 4, *reciben más subvenciones y tienen más patrocinadores* se refiere a que:
   a Los grandes empresarios con dinero quieren vivir en esa ciudad.
   b El gobierno y los grandes empresarios ofrecen créditos para proyectos en esa ciudad.
   c El gobierno y las empresas particulares ofrecen dinero a esa ciudad.

3 En el párrafo 5, *contaminación lumínica* se refiere a:
   a Las ciudades que tienen demasiadas luces encendidas toda la noche.
   b Una mala iluminación de la ciudad que envía la luz al cielo en lugar de al suelo.
   c El alto consumo de electricidad de las ciudades.

10 Piensa en tu ciudad, y escribe un pequeño texto explicando si puede ser o no candidata al Premio Capital Verde Europea, y por qué: ¿qué planes medioambientales tiene, qué requisitos cumple y cuáles no, qué cambios esperas y deseas para tu ciudad...?

_____

_____

20 Aprender lenguas

1 Relaciona las formas del imperativo afirmativo con los infinitivos correspondientes. Después, escribe las formas que corresponden a *vosotros.*

vosotros

1 oye	a salir		1	_____
2 sal	b leer		2	_____
3 habla	c tener		3	_____
4 ven	d oír		4	_____
5 di	e hacer		5	_____
6 escribe	f dar		6	_____
7 ten	g hablar		7	_____
8 pon	h ser		8	_____
9 lee	i venir		9	_____
10 sé	j escribir		10	_____
11 da	k decir		11	_____
12 haz	l poner		12	_____

2 Escribe las formas del imperativo negativo correspondientes a estos verbos.

	tú	vosotros/-as	usted	ustedes
ir	*no vayas*			
empezar				
volver				
estudiar				
pedir				
poner				
llegar				
seguir				

3 Completa las frases con *no* en los casos que sea posible.

1 Creo que _____ tenemos nada para cenar.

2 Ayer fuimos a su casa, pero _____ había nadie.

3 Nunca _____ hemos visto una película tan buena.

4 Ha suspendido el examen y ahora ya _____ puede hacer nada.

5 Hemos entrado en la escuela y _____ había alguien en la recepción.

6 ¿Tienes una hoja de papel? Es que _____ tengo ninguna.

7 ¿Nadie _____ ha visto a Pedro? No lo encontramos.

8 _____ tengo ningún problema en ayudarte, pero me lo tienes que decir.

4 Forma frases con la doble negación, utilizando estas palabras.

> nadie • nunca • nada • ninguno/-a (ningún/-una)

> ~~hacer~~ • fumar • viajar • tener • escuchar • regalar

1 *Todavía **no** he hecho **ningún** ejercicio.*

2 _____

3 _____

4 _____

5 _____

6 _____

5 ¿Qué órdenes o consejos crees que te pueden dar estas personas? Escríbelos en imperativo afirmativo o negativo.

1 Tu madre / padre

2 Tu mejor amigo/-a

3 Tu compañero/-a de clase

4 Tu profesor/-a de español

5 Tu jefe

6 Tu profesor/-a de gimnasia / entrenador/-a

1 *Levántate antes por las mañanas, siempre llegas tarde.*

2 _____

3 _____

4 _____

5 _____

6 _____

6 Completa el siguiente decálogo para aprender español. Lee las frases con atención y decide si van con imperativo afirmativo o negativo.

1 (Hablar) _____ con personas de habla hispana.

2 (Leer) _____ periódicos y revistas en tu idioma.

3 (Ver) _____ la tele en español.

4 (Ir) _____ al cine a ver películas españolas.

5 (Consultar) _____ páginas en internet en español.

6 (Escuchar) _____ programas de radio en tu idioma.

7 (Viajar) _____ por países hispanos.

8 (Escribir) _____ en otros idiomas, solo en español.

9 (Preguntar) _____ a tu profesor.

10 (Hacer) _____ todo en español.

7 ¿Qué órdenes o consejos darías tú a estas personas? Usa imperativos.

1 A tu vecino/-a de
arriba:

_____

_____

2 Al alcalde / A la alcaldesa
de tu ciudad o pueblo:

_____

_____

3 A tu profesor/-a de
español:

_____

_____

4 A un compañero/-a de
trabajo:

_____

_____

5 Al presidente / A la
presidenta:

_____

_____

6 A tu hermano/-a
pequeño:

_____

_____

8 Lee esta opinión sobre "no tener móvil" y escribe la tuya. Te proponemos otros dos temas para opinar.

No tener móvil

En mi opinión, es imposible no tener un móvil hoy en día. ¿Cómo podemos vivir sin estar siempre comunicados?
Yo creo que el móvil es nuestra manera de estar conectados con el mundo y, para mí, lo mejor es su tamaño: ¡algo tan pequeño y que consigue tanto! Yo no puedo vivir sin móvil.

no hablar inglés

no tener ordenador en casa

9 Relaciona los elementos teniendo en cuenta si necesitan preposición o no. Puede haber más de una posibilidad.

1	Utilizar		a	un correo.
2	Viajar		b	los ejercicios.
3	Escribir		c	la televisión.
4	Aprender	a	d	una persona.
5	Hablar	con	e	internet.
6	Ver	Ø	f	lenguas.
7	Escuchar		g	un lugar.
8	Preguntar		h	un programa de
9	Conectarse			radio.
10	Ir		i	los mensajes de móvil.

10 ¿Qué lenguas hablas y qué sabes hacer en cada una? Completa la tabla.

Lengua	
Español	*En español puedo conversar con amigos sobre mis aficiones, experiencias del pasado...*

11 Lee el artículo y elige las cinco razones más importantes para ti para aprender una nueva lengua y explica por qué. Añade alguna razón más que te parece importante y no está en el texto.

¿Por qué aprender una nueva lengua?

En un mundo donde la globalización cada vez es mayor es también cada vez más importante hablar más de una lengua. Y hay que tener en cuenta que el inglés es la lengua más usada en la tecnología, los aeropuertos y las conferencias. Pero, a su vez, el español y el mandarín son las lenguas más habladas en el mundo.

Elegir una u otra lengua para aprender dependerá de muchos factores y de las necesidades y motivaciones de cada persona. Aquí te damos 14 razones:

1 Desarrollar tu sensibilidad por las diferentes culturas.
2 Poder entender las bromas y chistes en conversaciones con extranjeros.
3 Poder recitar poemas en otra lengua.
4 Mejorar la memoria.
5 Poder tener amigos fuera de tus fronteras.
6 Tener más éxito en los negocios en el extranjero.
7 Participar en los proyectos internacionales que surgen en la empresa.
8 Entender la música de otros países.
9 Leer recetas de cocina en su lengua original.
10 Tener más posibilidades de conseguir una beca de estudios.
11 Ampliar la mente y la manera de pensar.
12 Ser más fácil mejorar profesionalmente al hablar más de un idioma.
13 Mejorar las habilidades de lectura.
14 Ejercer de traductor en el trabajo, con los clientes, también con la familia y con los amigos.

21 Yo, en tu lugar, trabajaría en el extranjero

1 Completa las frases con los verbos en condicional.

1 ¿(Dejar, vosotros) _____ a vuestra familia para vivir en otra ciudad?

2 Yo que tú (estudiar) _____ una carrera de ciencias.

3 Pablo, ¿te (gustar) _____ venir esta noche con nosotros al cine?

4 Yo, en tu lugar, (hablar) _____ con el profesor.

5 ¿(Ser, tú) _____ capaz de irte a vivir al extranjero?

6 Yo, en tu lugar, (comer) _____ un poco más. Estás muy delgado.

7 ¿A ustedes (gustar) _____ viajar a México?

8 Yo que tú, le (escribir) _____ un correo electrónico para pedirle perdón.

2 Completa la tabla con los verbos irregulares en condicional.

	decir	hacer	poner	poder	salir	tener
yo	diría		pondría		saldría	
tú		harías		podrías		tendrías
él, ella, usted	diría		pondría		saldría	
nosotros/-as		haríamos		podríamos		tendríamos
vosotros/-as	diríais		pondríais		saldríais	
ellos, ellas, ustedes		harían		podrían		tendrían

3 ¿Qué consejos darías tú a estas personas? Utiliza estas estructuras.

Yo que tú,
Yo, en tu lugar,   ] + condicional

Te recomiendo
Te aconsejo   ] + que + presente de subjuntivo

1 Me resulta muy difícil encontrar trabajo en esta ciudad.

_____

2 Quiero estudiar un idioma en mi tiempo libre, pero no sé si chino o francés.

_____

3 Estoy pensando en pedir una beca para estudiar en el extranjero.

_____

4 Me gustaría trabajar en una gran multinacional, pero sé que es muy difícil.

_____

5 Me gusta mucho la pintura, pero nunca he tenido tiempo suficiente para dedicarme a ella.

_____

6 Este fin de semana es mi cumpleaños y quiero celebrarlo pero no sé cómo.

_____

4 Completa los siguientes diálogos con las preposiciones *para, de, en* y *a.*

1 ■ Luis, ¿crees que serás capaz _____ terminar el trabajo _____ entregarlo mañana?
  ● Bueno, yo estoy dispuesto _____ terminarlo, pero eso depende _____ muchas cosas, como el tiempo libre que tenga esta tarde.

2 ■ En este trabajo, hay que encargarse _____ las clases de los niños más pequeños. ¿Tienes experiencia _____ dar clase a niños de esa edad?
  ● Bueno, la verdad es que tan pequeños no, mis alumnos tenían entre ocho y diez años, pero creo que estoy capacitada _____ hacerlo bien. ¡Me encantan los niños pequeños!

3 ■ Mario, fíjate muy bien _____ lo que te estoy explicando porque no me estás prestando mucha atención, y después te quejarás _____ que no lo entiendes.
  ● ¡Pero es que el subjuntivo es muy difícil!
  ■ No, no es difícil, ya verás, yo me encargo _____ explicártelo de una manera más fácil y no habrá problema.

4 ■ ¿Sabes? Acabo _____ dejar mi currículum vítae en el centro comercial. A ver si tengo suerte y me llaman.
  ● ¿Y _____ qué consiste el trabajo?
  ■ Se trata _____ cuidar a los niños mientras sus padres compran.
  ● ¿Y qué es lo más importante _____ conseguir ese trabajo?
  ■ Bueno, _____ que te acepten, debes tener algo de experiencia _____ un puesto similar.

5 Completa el siguiente cuadro con la información del anuncio de trabajo que te gustaría leer mañana en el periódico.

Profesión		Lugar	

REQUISITOS

Experiencia laboral	
Estudios	
Requisitos mínimos	
Idiomas	

CONTRATO

Tipo de contrato	
Duración	
Jornada laboral	
Salario	

6 Contesta a las siguientes preguntas.

Para + infinitivo (mismo sujeto)	_Para que_ + subjuntivo (sujetos diferentes)

1 ¿Para qué mandan las televisiones reporteros a otros países?
Para _____.

2 ¿Para qué se entrena tanto un bombero?
Para _____.

3 ¿Para qué explican los profesores?
Para que los alumnos _____
_____.

4 ¿Para qué hay azafatas y auxiliares de vuelo en los aviones?
Para que los pasajeros _____.

5 ¿Para qué usamos ELExprés?
Para _____.

7 En tu opinión, ¿qué tres requisitos son imprescindibles para ser...? ¿Por qué?

1

Un/-a buen/-a profesor/-a

2

Un/-a buen/a reportero/-a

3

Un/-a buen/-a auxiliar de vuelo / azafata

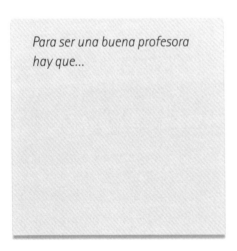

Para ser una buena profesora hay que...

8 Contesta, justificando tu opinión, a las siguientes preguntas.

1 ¿Qué profesiones nuevas se crearán en el futuro?
_____
_____

2 ¿Cuáles son las tres profesiones actuales que más futuro tienen?
_____
_____

3 ¿Cuáles son las ventajas y desventajas de trabajar desde casa?
_____
_____

4 ¿Qué profesiones desaparecerán en el futuro?
_____
_____

9 Lee los siguientes textos de un foro de internet y escribe una entrada dando consejos a Enrique y Patricia.

No hay problema sin solución

Enrique: Hola a todos, soy nuevo en esta ciudad. Vine porque en mi ciudad no hay trabajo. Estudié Marketing, pero he trabajado en cosas muy diferentes: camarero en un bar, ayudante de cocina en restaurantes, cuidando niños pequeños, administrativo, y tres meses en el departamento de Marketing de una multinacional americana. En España no tenía trabajo, llevaba un año en el paro y estaba desesperado, por eso decidí buscar trabajo en otro lugar. Elegí esta ciudad porque aquí vive una amiga y puedo quedarme en su casa una temporada. No hablo muy bien el idioma pero necesito encontrar un trabajo urgente porque no me queda mucho dinero para vivir aquí sin trabajar. ¿Podéis darme algunos consejos?

Tu respuesta

Patricia: Saludos a todos. Hace una semana que no duermo porque tengo que tomar una decisión: mi empresa ha abierto una sucursal en Tokio y me ha ofrecido irme a allí y ser la directora de la sucursal durante dos años. Después regresaría aquí, pero ocuparía un cargo más importante que ahora. Es una oportunidad fantástica, no me lo podía creer cuando me lo dijeron. Además Tokio es un lugar que me atrae, no sé japonés pero la empresa me pagaría un profesor particular y también un apartamento en el centro.
El problema es que mi pareja y yo queríamos tener un hijo este año, porque nos apetece mucho y también por la edad, los dos tenemos 41 años. Además el año pasado nos compramos un piso precioso en el centro. Por otra parte, y quizá lo más importante es que mi pareja tiene un trabajo estable y muy bueno aquí, y dice que no puede acompañarme a Tokio porque lo perdería todo. ¿Qué haríais vosotros? ¡Por favor, necesito todos vuestros consejos!

Tu respuesta

---

10 Escribe las características que crees que tiene que tener el trabajador del futuro.

Yo creo que el trabajador del futuro tiene que tener disponibilidad para...

11 ¿Qué actividades puedes hacer ya con el español que sabes? Señálalas e intenta imaginar alguna situación concreta para cada una de ellas.

✔ Puedo describir de forma sencilla mi formación académica, lo que estudio o mi trabajo.
Por ejemplo, para solicitar una beca para estudiar español en un país donde se habla este idioma.

✔ Puedo comprender el vocabulario y las expresiones básicas de una oferta de empleo.

✔ Puedo redactar de manera sencilla mi currículum vítae.

✔ Puedo expresar un consejo o una recomendación a otra persona.

22 ¿Dónde estarán ahora?

1 Mira las imágenes y piensa en las suposiciones que hace Julia para esta o la próxima semana.

> Quizá(s)
> Tal vez   + presente de subjuntivo
> Probablemente

Quizás nieve en la ciudad, hace muchísimo frío.

2 Completa las frases, como en el ejemplo.

1 Quizás viaje a un país de habla española y así *podré practicar más mi español.*

2 Probablemente en esta unidad aprenda mejor el futuro y el condicional y así _____

3 Tal vez me den una beca y así _____

4 Quizás nunca aprenda chino y por eso _____

5 Tal vez aprenda a cocinar muy bien y así _____

6 Quizás _____

7 Tal vez _____

88

3 Escribe las formas correspondientes del futuro simple y del condicional simple.
¡Ojo, todos los verbos son irregulares!

Futuro simple	Condicional simple

1   poder, nosotros
2   querer, tú
3   tener, él
4   decir, yo
5   valer, ellos
6   caber, vosotras
7   poner, ellas
8   haber, tú
9   venir, yo
10 salir, nosotras
11 hacer, vosotros
12 saber, tú
13 componer, ellas
14 deshacer, yo

4 Completa las frases. Recuerda la estructura *si* + presente + futuro.

1   Si me toca la lotería, _____.
2   _____, se lo
    pediré a mi mejor amigo/-a.
3   Si consigo un nivel B2 de español, _____
    _____.
4   Si me ofrecen un trabajo que no me gusta pero con
    un salario muy alto, _____
    _____.
5   Si alguien en la calle me confunde con un
    famoso/-a, _____.
6   _____, pediré
    disculpas.

7   Si un amigo me miente, _____
    _____.
8   _____, buscaré un piso más
    grande.
9   Si recibo flores de una persona que no me gusta,
    _____.
10 _____, me iré a vivir al
    extranjero.
11 Si mañana hace sol y me levanto temprano,
    _____.
12 Si voy de vacaciones a Francia, _____.

5 ¿Qué harás en los próximos meses? Plantéate proyectos
reales y lo que pasará si no los cumples. Usa el futuro.

1   *Iré al gimnasio dos veces por semana. Si no voy al gimnasio,
    no me pondré en forma.*
2   _____
3   _____
4   _____
5   _____

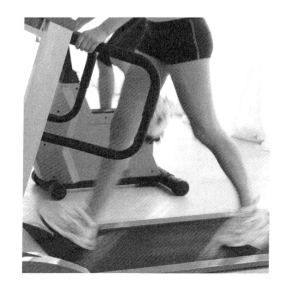

6 Escribe qué harías tú en cada una de estas situaciones. Recuerda que puedes usar: *tal vez, quizás, probablemente, condicional, si* + presente + futuro.

1 Estás lavándote las manos en el baño de un restaurante, no hay nadie más, y, de repente, entra tu actor o actriz favorito/-a.

_____

2 Tu pareja te dice que quiere dejar su trabajo para dedicarse a escribir novelas.

_____

3 Ganas un premio que consiste en un viaje alrededor del mundo de seis meses de duración y la salida es dentro de tres días.

_____

4 Alguien te ofrece la posibilidad de ser invisible durante 24 horas.

_____

5 Tienes la posibilidad de ser presidente de tu país durante tres días.

_____

6 Te dan 6000 euros pero tienes 24 horas para gastártelos y tiene que ser en un mínimo de cinco cosas diferentes.

_____

7 ¿Qué harías, tú solo, un fin de semana en estos lugares?

1 Katmandú: _____

2 Una isla desierta: _____

3 Ciudad de México: _____

4 Nueva York: _____

5 Un pueblo de 100 habitantes en los Pirineos españoles: _____

8 Completa la tabla con el futuro compuesto y escribe las formas correspondientes de los verbos en infinitivo.

Futuro simple del verbo *haber*		
yo		
tú		+ participio pasado
él, ella, usted		
nosotros/-as		
vosotros/-as		
ellos/-as, ustedes		

1 levantarse, yo _____
2 volver, ellos _____
3 leer, vosotros _____
4 hacer, tú _____
5 terminar, nosotras _____
6 perder, usted _____
7 salir, ella _____

8 poner, yo _____
9 creer, ustedes _____
10 estar, él _____
11 decir, tú _____
12 ver, nosotros _____
13 escribir, ellas _____
14 hacer, yo _____

9 Expresa la probabilidad con el futuro compuesto, como en el ejemplo.

1 Parece que tu amigo Roberto no llega a tiempo.
   Viene en coche y habrá encontrado un atasco.

2 El vuelo a París se ha retrasado más de una hora.

   _____

3 La empresa donde quería trabajar no me ha
   contratado.

   _____

4 Tu profesor/-a de español no ha venido esta
   mañana a clase.

   _____

5 Tú esperabas su llamada, pero tu novio/-a no te ha
   llamado hoy.

   _____

6 Necesitas el coche, pero no has podido encontrar
   las llaves.

   _____

10 Formula tus hipótesis para cada una de las siguientes situaciones. Puedes usar
el futuro imperfecto, el futuro perfecto o el condicional.

1 Ayer tenía mi primera cita con una chica que conocí el sábado y que me gusta mucho.
   Quedamos en un restaurante para comer pero ella no apareció, la llamé por teléfono y
   me salió un mensaje diciendo que ese número no existe.

2 Hoy por la mañana tenía clase en la universidad a las nueve. He llegado cinco minutos
   tarde y al entrar en el aula no había nadie, ni el profesor, ni los compañeros. Me
   he sentado y he esperado un rato. A las nueve y media he ido a la recepción para
   preguntar qué pasaba pero no sabían nada.

3 *(Dos amigos estudiantes en un bar)*
   - ¡¡Oye, acabo de abrir mi mochila y está llena de dinero, no están mis libros ni mis
     cosas!! No entiendo nada, si la he tenido a mi lado todo el rato...

23 Noticias sorprendentes

1 Completa la tabla del pretérito perfecto de subjuntivo y escribe las formas correspondientes.

Presente de subjuntivo del verbo *haber*		
yo		
tú		
él, ella, usted		+ participio pasado
nosotros/-as		
vosotros/-as		
ellos, ellas, ustedes		

1 abrir, yo
2 comprar, ella
3 decir, nosotros
4 descubrir, ustedes
5 escribir, él
6 estar, tú
7 hacer, vosotros
8 imprimir, usted
9 morir, nosotras
10 poner, yo
11 ser, ellas
12 escribir, tú
13 ver, él
14 romper, ella

Es normal que tenga un nuevo novio.

Sí, pero es una pena que haya roto con Tom.

2 Explica con tus palabras el significado de estos adjetivos y sustantivos y escribe un ejemplo de una situación para cada uno. Fíjate en el ejemplo.

1 Increíble: cuando algo es muy difícil de creer, o sorprende mucho.
Un perro se pierde a 500 km de la casa de sus dueños y consigue regresar solo.

2 Verdad:

3 Una pena:

4 Una locura:

5 Indudable:

6 Normal:

7 Interesante:

8 Raro:

9 Evidente:

10 Lógico:

11 Una ventaja:

3 Lee esta entrevista sobre Elsa Pataky y completa las frases.

ELSA PATAKY la actriz más deseada

Elsa Pataky es, según las encuestas de algunas revistas masculinas, una de las mujeres más deseadas de este país. Pero aparte de guapa, Elsa es una joven trabajadora y emprendedora con un físico que es un arma de doble filo, que en ocasiones la ha ayudado, pero en otras la ha perjudicado.

Esta madrileña de madre rumana debutó en una serie de televisión y, desde entonces, se ha ido construyendo una sólida carrera como actriz.

Ahora estás rodando en Canadá, ¿qué exactamente?

Una producción americana, con Samuel L. Jackson. Me apetecía ver cómo se trabaja allí, así que me dije por qué no, trabajar en otro idioma y aprender.

¿Sigues opinando que no hay que tirar la toalla, que sin lucha no hay victoria?

Por supuesto, creo que en la vida si algo quieres, algo te cuesta, tienes que perseguirlo. Desde pequeña he sido cabezota.

¿Imaginaste alguna vez llegar hasta aquí?

Era mi sueño. Cada día de mi trabajo doy gracias por dedicarme a lo que me gusta.

¿Eres tímida?

Sí, mucho. Al ponerme delante de una cámara no, porque interpretas tu personaje, no eres tú.

Elsa ha lanzado hace unos meses su propia línea de ropa, PTKY, es una gran apasionada de la moda. ¿Cómo llevas esta faceta?

Empezó como un *hobby*, siempre me gustó la moda y me ofrecieron ser la imagen de algunas firmas. Al final, me decidí con mi propia línea de ropa. Es un trabajo bonito. Me encanta y lo disfruto.

He leído que no te gustan tus piernas, ¿cómo es posible?

Todas las mujeres tenemos nuestros pequeños complejos...

SECRETOS DE UNA MIRADA DE CINE

Fecha de nacimiento: 18 de julio de 1976

Familia: padre español y madre rumana

Debut: serie de televisión *Al salir de clase* (1996)

Cine: su primer papel importante fue en *Tatawo* (2000)

Diseñadora: tiene su propia línea de ropa: PTKY

Aficiones: lectura

(Extracto de *Semana*, 17 de agosto de 2005)

1   Es verdad que Elsa Pataky _____ una de las mujeres más deseadas de este país.

2   _____ claro que su físico _____ un arma de doble filo.

3   Es interesante que _____ su primer papel en una serie de televisión.

4   Es bueno que _____ que trabajar en otro idioma.

5   _____ interesante que su madre _____ rumana y su padre español.

6   Para ella es importante no _____ la toalla.

7   _____ normal que _____ complejos como muchas mujeres.

8   Es evidente que _____ construir una sólida carrera como actriz.

9   _____ obvio que _____ una joven emprendedora y trabajadora.

10 Es interesante que _____ su propia línea de ropa.

4 Lee las siguientes noticias y elige la opción correcta.

Dos gemelos se conocen en un avión

El escocés Neil Douglas se llevó una de las sorpresas más curiosas de su vida. El fotógrafo de 32 años que volaba en un avión de Ryanair entre el aeropuerto londinense de Stansted con destino a Galway, en Irlanda, descubrió que en el asiento de al lado estaba su "gemelo". Se trata de Robert Stirling, una copia exacta de Neil, sobre todo por su barba pelirroja.

Neil dijo: "Cuando llegué al avión, había un hombre que estaba en mi asiento, cuando me miró pensé que se parecía a mí. En ese momento nos reímos y nos hicimos un *selfie*". Pero no todo terminó ahí. Una vez en Galway, ambos descubrieron que tenían una habitación reservada en el mismo hotel y decidieron ir a tomarse una cerveza juntos. Un poco más tarde apareció un tercer hombre que es idéntico a ellos. ¿Increíble, no? Su nombre es Nathan Mckeown de Escocia, y ya ha subido una foto suya a Twitter.

Texto 1

http://www.planetacurioso.com

Descubren un mensaje en una botella que había sido lanzada al mar hace 110 años

Una señora se encontró la botella en una de las playas alemanas de la isla de Amrum, dentro había una postal que procedía de la Asociación Biológica de la Marina de Plymouth, en el suroeste de Inglaterra. Pero lo sorprendente no era la distancia, unos 1265 km, sino la fecha en la que había sido lanzada al mar. Se calcula que entre 1904 y 1906, y formaba parte de un proyecto para el estudio de las corrientes del mar.

El mensaje de la botella indicaba que se devolviera la postal, indicando dónde y cómo se había encontrado, prometiendo una recompensa. La señora lo hizo y le devolvieron un antiguo chelín y una nota de agradecimiento, informándola de que el estudio lo había realizado George Parker Bidder hace 110 años y había lanzado un total de 1020 botellas. Es el mensaje en una botella más antiguo que se ha encontrado hasta el momento.

Texto 2

http://noticiasorprendentes.com

En el texto 1...

1 La palabra gemelo se refiere a:
   a ☐ El parecido físico entre dos personas.
   b ☐ Una nueva amistad con un desconocido.
   c ☐ Los pasajeros que se equivocan de asiento.

2 Neil y Robert coinciden en:
   a ☐ El aspecto físico y el lugar en el que viven.
   b ☐ El aspecto físico y la profesión.
   c ☐ El aspecto físico y el alojamiento.

En el texto 2...

3 El mensaje en la botella se lanza para:
   a ☐ Hacer una declaración de amor.
   b ☐ Estudiar los movimientos del agua.
   c ☐ Saber el tiempo que tarda en llegar a una playa.

4 Se dice que lo más extraño es:
   a ☐ El tiempo que tarda en encontrarse.
   b ☐ La distancia que recorre.
   c ☐ Lo que dice el mensaje.

5 Da tu opinión y valoración de las dos noticias anteriores usando las estructuras:

- *Es* + adjetivo / sustantivo + *que...*
- *Es cierto / verdad / obvio... que...*
- *Está claro que...*

6 Transforma las frases utilizando *cuando* y el tiempo verbal correspondiente.

1 Siempre le ocurre lo mismo a María, en los viajes en autobús se marea.
   María, cuando viaja en autobús, se marea.

2 El plan de Peter es regresar a su país y buscar trabajo.
   _____

3 Ayer, al llegar al restaurante me encontré a Lucía.
   _____

4 De niña era ver el chocolate y no poder parar de comer.
   _____

5 Para cambiarme de piso necesito encontrar un trabajo.
   _____

6 Los niños acaban el colegió la próxima semana y se van de vacaciones al pueblo.
   _____

7 Siempre que voy a la playa, me pongo mucho protector solar.
   _____

8 Ayer, salía de casa y me llamaste.
   _____

7 Completa libremente las siguientes frases.

1 Cuando _____, dejaré de trabajar.
2 Cuando _____, compro una revista.
3 Cuando _____, ya estaba cerrado el kiosco.
4 Cuando _____, haré un viaje por Europa.
5 Si _____, me pongo nervioso.
6 Si me toca la lotería, _____.
7 Cuando _____, escribiré mis memorias.
8 Cuando _____, me compraré una casa en el campo.
9 Cuando _____, hago fotografías con el móvil.
10 Cuando _____, hago yoga y meditación.

8 Clasifica las frases anteriores.

GRUPO 1:	
Es algo que ocurrió en el pasado.	

GRUPO 2:	
Es algo que crees que ocurrirá en el futuro.	

GRUPO 3:	
Es una rutina: ocurre siempre.	

GRUPO 4:	
Es una condición, puede ocurrir o no.	

9 Responde a las preguntas. Recuerda que este léxico lo has visto en el artículo de la página 140 del libro del alumno.

1 ¿Cuándo se te queda la mente en blanco? _____
2 ¿Qué actividades te van? _____
3 ¿Has hecho prácticas alguna vez? _____
4 ¿Dónde te criaste? _____

24 ¿Buscas algo?

1 Clasifica estas palabras dependiendo del tipo de anuncio en el que se usan.

airbag • alarma • aseo • amueblado • asiento • ático • buhardilla
diáfano • estudio • garaje • oficina • vistas • volante

COCHES / MOTOR	PISOS / INMOBILIARIA

2 Completa las preposiciones que faltan en estos anuncios por palabras.

a • con • de • en • hasta • para • por • sin

INMOBILIARIA

Alquilo buhardilla _____ la zona de Puerta del Sol, _____ un edificio restaurado, _____ 80 metros, _____ un dormitorio y un baño; _____ mucha luz y amueblado. _____ aire acondicionado. _____ 1000€ _____ mes. Ideal _____ una persona o pareja. Si estás interesado, llámame el número 91 9086732 _____ las tardes.

1

VARIOS

Vendo Renault 5 _____ ITV pasada. _____ color rojo y _____ el motor revisado. Está _____ buen estado. Llamar _____ 8 _____ 15 horas, _____ teléfono **666 850 741**.

2

MOTOR

Vendo bicicleta _____ montaña _____ niños _____ 10 años. _____ solo 100€. _____ estrenar. Llama 91 345 77 30 y pregunta _____ Andrés.

3

3 Explica la diferencia que hay entre...

1 un apartamento y un piso

2 un baño y un aseo

3 un estudio y un piso

4 un ático y una buhardilla

4a ¿Cuál es la diferencia entre estos pares de frases?

1 a Estoy buscando a un chico que estudie arquitectura para que me explique este plano.
  b Estoy buscando a un chico que estudia arquitectura para que me explique este plano.

2 a Alquilo un estudio que está en el centro de Madrid. Tiene mucha luz y está amueblado.
  b Busco un piso que esté en una zona tranquila, que tenga dos dormitorios y garaje.

4b Escribe dos ejemplos que tengan esta misma diferencia.

1 _____

2 _____

4c ¿Qué modo verbal utilizamos cuando describimos algo o a alguien que conocemos? ¿Y cuando no lo conocemos?

5 Completa las frases con uno de estos verbos en indicativo o subjuntivo según corresponda.

estar • tener • costar • llamarse • poder • ser • hablar • vender • saber • gustar

1 Estoy buscando a una profesora de francés que _____ Dominique. ¿Sabes dónde está?

2 Estoy buscando a una profesora de francés que _____ dar clases privadas por la tarde en una empresa. ¿Conoces a alguien?

3 Necesito un piso que _____ como mínimo cuatro habitaciones grandes, porque necesito tres para dormitorios y una para despacho.

4 Busco un libro de gramática, con explicaciones que _____ muy fáciles de entender, me lo ha recomendado mi profesor, pero no recuerdo el título.

5 ¿Conoces un restaurante japonés que _____ comida para llevar a casa? Es que el viernes vienen unos amigos a cenar a mi casa.

6 ¿Conoces un restaurante japonés que _____ al lado de mi trabajo? Me lo recomendó mi jefe porque sabe que me encanta la comida japonesa.

7 Quiero una pareja que _____ escuchar y comunicar sus sentimientos.

8 ¿Conoces a algún niño al que no _____ el chocolate?

9 Tengo un vecino, polaco, que _____ once idiomas. ¿Increíble, verdad?

10 Quiero un ordenador portátil, de color blanco, que _____ 425€. Ayer lo tenían en el escaparate.

6 Lee las siguientes situaciones y explica cómo quieres que sea el apartamento y tu próxima pareja.

1 Te vas a ir de vacaciones y decides alquilar un apartamento.
_____
_____
_____

2 Acabas de dejar a tu pareja porque era una persona demasiado perfeccionista, ordenada, minuciosa, obstinada... porque no aguantabas tanto orden y perfección.
_____
_____
_____

7 Forma perífrasis con los elementos de las columnas.

1	Acabar	
2	Continuar	
3	Deber	a
4	Dejar	
5	Empezar	infinitivo (estudiar)
6	Estar	de
7	Estar a punto	
8	Haber	
9	Ir	que
10	Llevar	gerundio (estudiando)
11	Parar	Ø
12	Ponerse	
13	Seguir	
14	Soler	
15	Tener	
16	Terminar	
17	Volver	

1 _____
2 _____
3 _____
4 _____
5 _____
6 _____
7 _____
8 _____
9 _____
10 _____
11 _____
12 _____
13 _____
14 _____
15 _____
16 _____
17 _____

8 Completa las perífrasis de los diálogos con uno de estos verbos en el tiempo verbal adecuado.

seguir • empezar • llevar • estar a punto • acabar • dejar • volver • parar • tener • estar

1 ■ ¿Tienes un cigarrillo?
 • No, qué va, _____ de fumar hace un mes.
 ■ ¡Qué bien! Me alegro. Yo también lo dejé hace dos años, pero este mes, con todos los problemas y el estrés _____ a fumar.

2 ■ ¿Qué tal tus hijos?
 • Muy bien, el mayor, Pablo _____ a trabajar este año en una empresa y ha alquilado un piso con su novia. Y Marcos, _____ viviendo con nosotros y _____ estudiando Medicina en la universidad..

3 ■ Oye, necesito el presupuesto que te encargué, es muy urgente.
 • Sí, sí, perdona, _____ de terminarlo, solo necesito diez minutos más y te lo doy.

4 ■ Ayer, justo cuando salí del trabajo cayó una tormenta tremenda y no llevaba paraguas, así que _____ que entrar en un bar.
 • Sí, vaya tormenta, yo volvía de comprar, y me mojé toda la ropa y justo cuando llegué a casa _____ de llover.

5 ■ Jesús está contentísimo porque _____ de conseguir una beca para estudiar un año en Londres.
 • ¡Qué bien! Me alegro mucho porque se lo merece.

6 ■ He conocido a un chico alemán, se llama Georg y habla español muy bien, y eso que solo _____ viviendo en Zaragoza seis meses.
 • ¡Vaya! ¡Hay gente que tiene mucha facilidad para las lenguas.

9 Describe las imágenes utilizando las perífrasis anteriores.

1 _____
2 _____
3 _____
4 _____
5 _____

10 ¿Cómo se informan los españoles? Lee el siguiente texto y señala si las frases son verdaderas (V) o falsas (F).

¿Cómo se informan los españoles?

Cada vez son más los españoles que eligen informarse a través de la prensa digital frente a la de papel. Entre los diferentes motivos se encuentra la facilidad y rapidez para acceder a la información de manera instantánea, esa sensación de poder estar informado de lo que ha ocurrido en el último minuto o incluso de lo que está ocurriendo ahora, en cualquier lugar del mundo, con solo hacer un clic. También se considera importante el motivo económico, hay mucha prensa digital total o parcialmente gratuita, y las suscripciones son mucho más baratas que en papel.

Si hablamos de medios audiovisuales, la estrella sigue siendo la televisión frente a la radio.

Sin embargo, en cuestiones de credibilidad informativa, los españoles siguen confiando más en los medios de información tradicionales. La radio aparece a la cabeza, como el medio más fiable, seguida de los periódicos que publican a la vez en digital y papel, después, la prensa únicamente digital y por último los blogs y las redes sociales.

A la hora de elegir una u otra publicación, se valora el grado de imparcialidad, la presentación de la información que la hace más comprensible y que aparezcan expertos analizando y comentando la información.

El tipo de información que más interesa es la económica, después la cultural, seguida de la internacional, y por último la política y la deportiva. Sin embargo, la económica, junto a la política, es la información a la que menos credibilidad le dan los españoles.

http://www.20minutos.es

1 ☐ Aumenta el número de lectores digitales.
2 ☐ A veces es difícil poder leer la información digital.
3 ☐ La televisión y la radio son igual de favoritas para la gente.
4 ☐ Las redes sociales están entre los medios más confiables.
5 ☐ Lo más importante de una publicación es que sea objetiva.
6 ☐ La información económica es la más leída y la menos fiable.

11 Lee las siguientes opiniones de algunas personas y escribe un pequeño texto explicando con cuál estás más de acuerdo, por qué y qué medios de comunicación utilizas tú.

SARA. Alicante

"Publicar un periódico o una revista en papel es un gasto inútil, ya que después de leerlos se tiran. Es mucho más ecológica y económica la prensa digital. Y en cuanto a los blogs, tan criticados, quiero decir que hablar de blogs no es sinónimo de información gratuita, de mala calidad y poco fiable. Depende de quién la escriba y de su contenido. Como siempre, hay de todo".

VICENTE. Cáceres

"Uso internet para juegos y *Facebook*, pero nunca busco información porque tampoco confío en lo que se publica. Una vez tuve unos problemillas de salud, se me ocurrió buscar los síntomas que yo tenía en internet y encontré un montón de enfermedades muy graves con esos síntomas. ¡Me llevé un susto horrible! Después fui al médico y resultó que no era nada importante".

BEATRIZ. Tudela

"Yo antes veía las noticias siempre en televisión, me gustaba más que los periódicos o la radio, pero ahora es imposible, la televisión está llena de programas basura, *reality shows*, programas de corazón que están todo el día criticando a los famosos. Yo creo que la televisión actual está pensada para que la gente pierda su capacidad de crítica, de análisis y de sentido de la realidad".

25 ¡Qué arte tienes!

1 Relaciona las palabras con su significado y escribe una frase.

1 arte urbano
2 arte rural
3 arte abstracto
4 mural
5 acueducto
6 retrato
7 escultura
8 catedral
9 románico/-a

a Objetos o figuras que se crean con diferentes materiales: barro, piedra, metal...
b Es una forma de arte en la que no hay figuras, ni objetos, ni paisajes reales. El color o las figuras geométricas suelen tener mucha fuerza.
c Es una pintura sobre una pared o muro.
d Suele ser la iglesia principal de una ciudad.
e Es un estilo que en la construcción utiliza muchos elementos romanos.
f Es la pintura o la fotografía de una persona.
g Está relacionado con el arte de la tierra, de los cultivos, de la naturaleza.
h Es una construcción de la época de los romanos para transportar agua.
i Hace referencia a todo el arte en la calle, normalmente es ilegal.

1 *Muchos grafitis son considerados grandes muestras de arte urbano.*
2 _____
3 _____
4 _____
5 _____
6 _____
7 _____
8 _____
9 _____

2 Completa el cuadro sobre las formas de dar una opinión o hacer una valoración.

Para dar nuestra opinión y hacer valoraciones utilizamos varios verbos: (1) _____, (2) _____, parecer	
Opinión / valoración **afirmativa**	Creo que (3) _____ que + verbo en (4) _____ Me parece que
Opinión / valoración **negativa**	No (5) _____ que No pienso que + verbo en (6) _____ No (7) _____ que
Pregunta	¿No crees que + verbo en (8) _____? ¿(9) _____ que + verbo en (10) _____? ¿No te parece que + verbo en (11) _____?
También hay otras expresiones que podemos usar: En mi (12) _____, Para mí, Desde mi punto (13) _____	

3 Fíjate en estas imágenes y, teniendo en cuenta lo que sabes de ellas, escribe tu opinión y si estás de acuerdo o no con las opiniones que aparecen debajo de cada una.

1 *La Sagrada Familia*
  -"No es la mejor obra de Gaudí".
  -"Es muy extraña, no parece una iglesia".
  -"Es pequeña para ser una catedral".

2 *Guernica*
  -"Es el cuadro más importante de Picasso".
  -"Representa la brutalidad de la guerra".
  -"Es un símbolo de libertad para mucha gente".

4 Hay algunos adjetivos que cambian totalmente su significado si se usan con *ser* o con *estar*. Une las expresiones equivalentes.

1 ser listo
2 estar listo
3 ser rico
4 estar rico
5 ser una persona abierta
6 estar abierto
7 ser una persona cerrada
8 estar cerrado
9 ser bueno
10 estar bueno
11 ser malo
12 estar malo

a estar enfermo (persona)
b ser bueno para la salud (cosa, actividad...)
c tener buen sabor (comida o bebida)
d estar preparado para hacer algo
e ser una persona introvertida
f ser guapo, atractivo... (persona)
g no estar abierto (puerta, ventana...)
h estar pasado de fecha, caducado (comida)
i ser buena persona o hacer bien algo (persona)
j ser inteligente
k ser malo para la salud (cosa, actividad...)
l ser una persona extrovertida
m ser mala persona
n tener mucho dinero
ñ no estar cerrado (puerta, ventana...)

5 Completa las frases utilizando las siguientes expresiones.

ser/estar abierto/-a • ser/estar bueno/-a • ser/estar malo/-a • ser/estar cerrado/-a • ser/estar rico/-a • ser/estar listo/-a

1 Luis no ha venido hoy a clase porque _____, creo que tiene la gripe.
2 A Juan le encanta conocer gente nueva, cuando va a una fiesta, enseguida se pone a hablar con cualquiera. _____.
3 Tomar el sol _____ para la salud.
4 Es muy tarde para comprar pan, la panadería _____.
5 Sus padres no tienen problemas de dinero, _____.

6 Cada vez hay más investigaciones que demuestran que el azúcar _____ para la salud y aconsejan reducir el consumo.
7 Siempre tengo problemas con Nicolás, _____, le cuesta expresar lo que siente.
8 Pero Eugenio, ¿todavía no _____ para salir?
9 Puedes entrar ahora a ver la exposición _____ hasta las 20h.
10 ¡Uy! Lucas _____ siempre saca la mejor nota de la clase.

6 Completa con *ser* o *estar* este texto sobre uno de los cuadros más famosos de Pablo Picasso: *Las señoritas de Aviñón.*

PABLO PICASSO

Las señoritas de Aviñón, cuadro pintado por Pablo Picasso en 1907. (1) _____ considerado una de las principales obras del arte contemporáneo. Después del denominado periodo rosa, Picasso se dedicó al estudio de la perspectiva y del tratamiento del volumen.

Las señoritas de Aviñón (2) _____ un óleo de 245 × 235 cm, que (3) _____ en el Museo de Arte Moderno (MOMA) de Nueva York. (4) _____ un cuadro fundamental que anuncia el principio del cubismo.

El pintor encuentra una solución inédita para conseguir múltiples puntos de vista: rompe los volúmenes y superpone los diferentes planos (así, la nariz de las dos mujeres que (5) _____ en el centro de la composición (6) _____ representada de perfil).

Todos los planos (7) _____ en la superficie del cuadro y no hay profundidad. Para pintar este cuadro, que (8) _____ inacabado, Picasso realizó un largo trabajo preparatorio. La escena se sitúa en una casa que (9) _____ cerca de la calle Avignon, en Barcelona. Los desnudos femeninos continúan la trayectoria de *El baño turco*, de Ingres, y de *Bañistas*, de Cézanne. Picasso propone siluetas simplificadas de contornos angulosos. Los rostros de las dos mujeres del centro (10) _____ próximos a la tradición pictórica española, mientras que las dos mujeres situadas a la derecha, sombreadas y extrañamente deformadas, (11) _____ de influencia africana. El arte africano y de Oceanía (12) _____ algunas de las fuentes de inspiración del pintor.

7 Completa las siguientes frases con *ser* o *estar*. ¡Atención! Los mismos adjetivos pueden ir con *ser* o con *estar* dependiendo de su significado.

1 La Torre Picasso es un edificio muy alto.
2 Itziar mide un metro y solo tiene dos años y medio... ¡_____ muy alta para su edad!
3 _____ siempre una persona alegre, pero ahora no sé qué le pasa.
4 Sara debe de estar a dieta... ¡_____ muy delgada últimamente! ¿verdad?
5 Julia hoy _____ especialmente guapa.

6 ¡Qué grande _____! ¿Cuántos años tiene?
7 Siempre _____ una chica muy delgada.
8 ¡Nunca había _____ tan alegre y tan contenta! Juana ha cambiado mucho.
9 Mi sobrino _____ guapísimo... es un niño de anuncio.
10 El Museo del Prado _____ demasiado grande para verlo en un solo día.

8 Lee el artículo y contesta si las afirmaciones son verdaderas (V) o falsas (F) según el texto.

Arte urbano: ¿Es realmente arte?

Se considera arte urbano a todo aquello que engloba a las diferentes expresiones artísticas que se representan en la calle como forma de protesta o como simple representación artística de un aspecto de la cultura popular o tradicional de una zona concreta o simplemente de los movimientos sociales más predominantes en cada territorio. (…)

Existen distintas variantes de arte urbano: grafiti, teatro callejero, música en la calle, etc. Desde la década de los 90, este arte callejero se está extendiendo por casi todas las ciudades del mundo, pero tienen sus principales referentes en Nueva York, Londres, Barcelona, Berlín o México D.F., entre otras. (…)

Más que como una pura expresión artística, el arte urbano ha sido en determinadas épocas y países una verdadera arma de lucha política. Desde el muro de Berlín hasta las calles de Belfast, convertidas en superficies ilimitadas para la expresión, el arte urbano ha servido de instrumento de lucha contra la opresión. Las pintadas o grafitis son una identidad, una marca, un sello, pero también pueden ser una forma de expresión de queja de lo que está establecido.

Sin embargo, a la hora de hablar del arte, hay que diferenciar entre el "arte" y la cultura popular. El primero proviene de las altas esferas de la clase social desde tiempos inmemorables y ha tenido una "protección" intelectual

al ser estudiado y analizado en lugares de estudio (universidades y museos), mientras que la cultura popular se ha difundido por las capas más bajas de la sociedad y apenas ha tenido interés para aquellos que sí protegían y estudiaban el primer tipo. En la actualidad, el primero se conoce como arte contemporáneo y el segundo como arte urbano. (…)

Para que ambas "artes" puedan llegar a converger deben, por una parte, hacer llegar el arte y la cultura a la mayoría de la población y, por otra, mejorar la calidad de la creación de nuestros artistas. Estas son algunas propuestas para conseguir acercar las dos "artes":

El arte popular tiene que atraer para sí los artistas con más talento y formados.

Los nuevos grupos que nacen deben contar con la ayuda de artistas expertos y experimentados para, juntos, desarrollar las nuevas propuestas artísticas.

Los espacios de creación y exhibición deben estar lo más cerca posible de la gente. Se tienen que poner en marcha políticas de proximidad dando apoyo a centros creativos en barrios y pueblos.

El arte elitista, en sus temáticas, tiene que acercarse más a la sociedad, escuchar a la gente de la calle.

En la calidad artística hay que valorar también el proceso y no solo el resultado final.

http://arteurbanoformacomunicacion.blogspot.com.

Según el texto...	V	F
1 El arte urbano siempre expresa una protesta contra la sociedad.		
2 El grafiti es el único tipo de arte urbano.		
3 Al arte urbano se le llama también arte callejero.		
4 El muro de Berlín ha servido de mural de grafiti.		
5 El arte urbano nace entre la clase media de la sociedad.		
6 Hay dos tipos de artes, uno para la clase social alta y otro para la baja.		
7 El arte urbano es un tipo de arte contemporáneo.		
8 Es necesario separar los artistas que tienen experiencia de los nuevos que aparecen.		

9 Explica qué tipo de arte urbano existe en tu ciudad o país y escribe tu opinión sobre la información del texto, tu acuerdo o desacuerdo con las propuestas del final para acercar las dos "artes".

26 ¿A qué dedica el tiempo libre?

1 Escribe todas las combinaciones posibles con los elementos de cada columna. Hay muchas posibilidades.

ir		compras
ver		tenis
visitar	con	un famoso
quedar		el teatro
practicar	a	una película en televisión
montar		tu mejor amigo/-a
encontrarse	de	un bar con los amigos
leer		tu expareja
jugar	en	excursión
conocer		política
hablar	Ø	una ONG
colaborar		esquiar
		un partido de fútbol en la televisión
		el museo
		bicicleta
		un barco
		comprar al supermercado
		una exposición
		la televisión
		la familia
		gimnasio
		un buen libro
		deporte

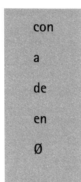

- *ir al teatro / al museo / a esquiar / de compras ...*
- ver _____
- visitar _____
- quedar _____
- practicar _____
- montar _____
- encontrarse _____
- leer _____
- jugar _____
- conocer _____
- hablar _____
- colaborar _____

2 ¿Cuándo haces las actividades anteriores? Completa la tabla.

Nunca o casi nunca	Una o dos veces al año	Una vez al mes	Una vez a la semana	A menudo o todos los días
	Voy al teatro.			

3 Completa las frases con uno de estos pronombres.

él/ella • ellos • le • les (x2) • mí • nos • nosotros • os • te (x2) • usted • ustedes • vosotros/-as

1 A Luis, mi novio, _____ gustan mucho los animales, pero a _____ no. Les tengo mucho miedo, especialmente a los perros.

2 ¿(A ti) _____ gusta salir al campo los fines de semana? No me lo puedo creer.

3 ▪ ¿A _____ qué os gustaría hacer este fin de semana?
● (A Lucía y a mí) A _____ quedarnos en casa.

4 Tengo varios amigos que trabajan para Greenpeace. A _____ _____ molesta que la gente no recicle y desperdicie agua.

5 ¿Hay algo que no _____ guste a ustedes? Podemos cambiar lo que deseen.

6 ¿A vosotros no _____ molesta que la gente se cuele en la cola del cine?

7 ¿No (a ti) _____ molestó que llegara tarde?

8 (A nosotros) No _____ gustaron las dos películas que nos pusieron en el avión.

9 ¿Qué le gustaría tomar? ¿Y a _____ ?

10 A _____ no le gustó el partido... fue muy aburrido.

11 ¿Les gustaría a _____ venir con nosotros?

4 Responde a las preguntas. Ten en cuenta las frases del ejercicio 3.

1 ¿En qué frases formulamos deseos? ¿Qué forma del verbo *gustar* se utiliza?

2 ¿En que casos hablamos de algo concreto que ocurrió en el pasado? ¿Qué forma verbal sigue a *gustar*?

5 Estas son algunas de las cosas que hacen habitualmente Carlos y Alfonso.
¿Cuáles crees que les gustan y cuáles crees que no?

Alfonso, 10 años

Carlos, 30 años

A Carlos le gusta _____
_____
_____
_____
_____ .

A Alfonso le gusta _____
_____
_____
_____
_____ .

6 Escribe las formas correspondientes del presente y del imperfecto de subjuntivo.

	presente	imperfecto
1 jugar, tú	*juegues*	*jugaras/jugases*
2 escribir, él/ella/usted		
3 dirigir, yo		
4 estudiar, vosotros/-as		
5 salir, tú		
6 ganar, nosotros/-as		
7 comer, él/ella/usted		
8 tocar, ellos/ellas/ustedes		
9 llegar, yo		
10 vivir, nosotros/-as		

7 Ahora completa la tabla con los verbos cuyo pretérito indefinido de indicativo es irregular.

	presente de subjuntivo	imperfecto de subjuntivo
1 ser, nosotros/-as	*seamos*	*fuéramos / fuesemos*
2 decir, yo		
3 estar, tú		
4 saber, él/ella/usted		
5 venir, ellos/ellas/ustedes		
6 dar, yo		
7 haber, nosotros/-as		
8 decir, tú		
9 tener, vosotros/-as		
10 hacer ellos/ellas/ustedes		
11 poner, tú		
12 querer, nosotros/-as		

8 ¿Qué harías si...? Completa las frases.

1 Si tuviera más tiempo, _____ .
2 Si fuera más alto, _____ .
3 Si supiera hablar perfectamente español, _____
 _____ .
4 Si tuviese una máquina del tiempo, _____
 _____ .
5 Si estuviera de vacaciones, _____ .
6 Si viviese en Argentina, _____ .
7 Si estudiara más, _____ .
8 Si fuese actor / actriz, _____ .
9 Si jugara bien al fútbol, _____ .
10 Si me tocase la lotería, _____ .

9 Observa las imágenes y escribe una frase con la estructura *si* + imperfecto de subjuntivo + condicional.

1 _____

2 _____

3 _____

4 _____

5 _____

6 _____

10 Lee las preguntas y escribe tus deseos.

1 ¿Cómo te gustaría que fueran tus clases?
Me gustaría que fueran...
_____

2 ¿Cómo te gustaría que fuese tu casa?
_____

3 ¿Qué te gustaría que te regalasen tus padres por tu cumpleaños? ¿Y tus amigos?
_____

4 ¿Cómo te gustaría que fuera tu pareja?
_____

11 Piensa en las siguientes situaciones y escribe cuándo, con quién, dónde, el título, el tema, lo que te gustó y lo que no, si te gustaría volver a verlo o leerlo y por qué.

1 La última película que viste. _____
2 El último libro que leíste. _____
3 La última exposición de arte a la que fuiste. _____
4 La última vez que viste un acontecimiento deportivo. _____

12 Completa con el verbo en infinitivo, en presente o en imperfecto de subjuntivo, según corresponda. Añade *que* si es necesario.

1 No me gusta nada (madrugar, yo) _____.
Si (poder, yo) _____ elegir, trabajaría por las tardes y dormiría por las mañanas.

2 A mis padres les molesta (llegar, yo) _____ tarde a comer los domingos. Y a mí me gustaría (entender, ellos) _____ que los sábados por la noche me gusta (salir, yo) _____.

3 Si (estar, yo) _____ en tu lugar, hablaría con tu jefe, le diría que me molesta mucho (gritar, él a mí) _____ y que me gustaría (decir, él a mí) _____ las cosas con tranquilidad y (explicar, él a mí) _____ lo que no entiendo.

4 Yo, si (tener) _____ mucho dinero, me compraría una casa grande con jardín. Me gustaría (organizar, yo) _____ fiestas y (venir, mis amigos) _____ y mi familia.

5 El sábado fui por primera vez a un centro de spa, no había ido nunca y, en general, estuvo muy bien. He descubierto que (gustar, a mí) _____ mucho los masajes en la espalda. La próxima vez me gustaría (probar, yo) _____ el masaje de pies, dicen que es el más relajante. Lo que no me gustó es (hacer, ellos a mí) _____ esperar 30 minutos, y eso que había reservado la hora hacía un mes.

6 El domingo fui al cumpleaños de Andrés, me lo pasé muy bien. Había muchísima gente y un montón de comida. Me gustó mucho (acordarse, él) _____ de que soy celíaca y me (preparar, él) _____ unos sándwiches sin gluten que estaban buenísimos.

27 Deje su mensaje después de la señal

1 Completa esta tabla sobre el estilo directo e indirecto.

TIEMPOS VERBALES

Estilo directo	Estilo indirecto	
	El tiempo verbal no cambia.	El tiempo verbal cambia.
Presente	**Presente**	(1) _____
"Tengo una reunión a las nueve".	Dice / Ha dicho que (2) _____	Ha dicho / Dijo que (3) _____ una reunión a las nueve.
Futuro	(4) _____	**Condicional**
"Llegaré a las nueve menos diez".	Dice / Ha dicho que *llegará a las nueve menos diez*	Ha dicho / Dijo que (5) _____ a las nueve menos diez.
(6) _____	**Presente de subjuntivo**	(7) _____ **de subjuntivo**
"Llega un poco antes".	Le pide que (8) _____ un poco antes.	Le pidió que (9) _____ un poco antes.

2 Completa la tabla.

aquí / acá	allí / allá
"Ven aquí (a mi mesa)".	Ha dicho que vaya (1) _____.
(2) _____	**ese o aquel**
(3) _____	Me ha dicho que quiere ese libro.
traer	(4) _____
(5) _____	Me ha pedido que le lleve esos cuadernos.
venir	(6) _____
(7) _____	Me dijo que fuera a su oficina.

3 Completa las frases con la forma verbal adecuada.

1 *En casa.*
- ■ Son las nueve, ¿por qué no está en casa?
- ● Esta mañana ha dicho que _____ una reunión a las nueve.
  Ayer dijo que _____ una reunión a las nueve.

2 *En la oficina.*
- ■ Son las ocho y media, ¿a qué hora llega?

- ● Ha dicho que _____ a las nueve menos diez.
- ■ ¿Por qué no ha llegado todavía? Son las nueve menos cuarto...
- ● Ayer dijo que _____ a las nueve menos cuarto.
  Le llamé y le dije que _____ un poco antes.
  Le he llamado esta mañana y le he dicho que _____ un poco antes.

4 ¿Sabes cómo se preparan unos buenos espaguetis al pesto? Observa los dibujos y escribe.

Espaguetis al pesto

PREPARACIÓN: 20 minutos
COCCIÓN: 10 minutos

INGREDIENTES
- 500 gramos de espaguetis
- un litro de agua
- sal

PARA LA SALSA
- 90 gramos de queso de oveja muy curado o parmesano
- 2 dientes de ajo
- 22 hojas de albahaca fresca
- 15 piñones
- 1 ramito de perejil
- Aceite de oliva virgen y sal

Primero, pon un litro de agua en una cacerola.

- _____
- _____
- _____
- _____
- _____
- _____
- _____

5 Imagina que un amigo te ha dado esta receta y que tú tienes que explicársela a otra persona.

Me dijo que primero pusiera un litro de agua en una cacerola.

6 Fíjate bien en estas dos frases y contesta a las preguntas.

a Compra un kilo de patatas.	b ¿Puedes comprar un kilo de patatas?

1 ¿Cuál es una pregunta? _____
2 ¿En cuál se hace una petición? _____
3 ¿Cuál es la intención final de cada una de ellas?
_____
4 ¿Qué queremos que haga la otra persona?
_____

5 ¿Cuál te parece más formal o menos directa?
_____
6 Conviértelas en estilo indirecto:
  a 1 Me ha pedido _____
    2 Me pidió _____.
  b 1 Me ha preguntado _____.
    2 Me preguntó _____.

7 Completa las frases con *pedir* o *preguntar*.

1 Déjame el coche para mañana.
Me pidió que le dejara el coche para mañana.

2 ¿Eres la secretaria de Javier?
Me _____.

3 ¿Tienes una reunión el lunes?
Me _____.

4 Búscame un impreso.
Me _____.

5 ¿Puedo dejarle un recado?
Me _____.

6 ¿A qué hora llega normalmente?
Me _____.

7 ¿Podéis llamarme más tarde?
Nos _____.

8 Mándaselo por correo.
Me _____.

9 ¿A qué hora sale tu tren?
Me _____.

10 Coge mi teléfono si no te importa.
Me _____.

(IBÁÑEZ, F., *El cacao espacial*, 2005, p. 9)

8 Este es un fragmento de un cómic de Mortadelo y Filemón, del dibujante Francisco Ibáñez. Cuenta tú la historia en estilo indirecto.

Mortadelo y Filemón están en la consulta del médico. Les van a hacer un reconocimiento médico. El médico le pide a Filemón que _____

_____

_____

_____

_____

_____

_____

_____

_____

_____

_____

_____

_____

9 Fíjate en las siguientes situaciones y escribe cuándo, dónde, quién y qué te dijeron.

1 El mejor consejo que me han dado:
_____
_____

2 La última vez que me dijeron que estaba guapo/-a:
_____
_____

3 El último mensaje que me dejaron en el contestador:
_____
_____

4 La última vez que me felicitaron por un trabajo que hice:
_____
_____

10 Algunos trabajadores de la empresa "Adelante" han pedido una cocina equipada en la empresa para poder llevar la comida de casa, calentarla y tener un lugar donde comer. Si se hace la cocina, las obras las tienen que pagar entre todos los departamentos, así que se organiza una reunión de directores para discutir el tema. Lee las intervenciones y haz la actividad.

Actividad

Eres el camarero del restaurante "Casa Emilio", ayer estuviste en la reunión de directores de la empresa "Adelante" sirviendo cafés y bebidas, y pudiste oír todo lo que dijeron. Tu jefe está preocupado porque si construyen la cocina en la empresa perderá clientes. Explícale, resumiendo lo más importante, lo que dijeron ayer en la reunión cada uno de los directores. Fíjate en el ejemplo.

Amelia Cifuentes,
DIRECTORA DE RECURSOS HUMANOS.

A mí me parece muy razonable que los trabajadores quieran un lugar dentro de la empresa donde poder comer tranquilamente. ¿Vosotros tenéis tiempo de ir a comer a casa? Porque nosotros solo paramos una hora para comer y no nos da tiempo de ir y volver. Comer aquí, en la mesa de la oficina, es incómodo y comer todos los días en el restaurante sale caro y además no es sano.

Amelia estaba de acuerdo con los trabajadores. Dijo que le parecía razonable que quisieran un lugar para comer porque los de su departamento solo tienen una hora y que comer allí no era cómodo y en el restaurante era caro y no era sano. Y les preguntó a los demás si ellos tenían tiempo de ir a casa a comer.
Guillermo le contestó...

Guillermo Otegui,
DIRECTOR DE MARKETING.

En mi departamento casi todos van a comer a casa, viven cerca y además nosotros tenemos dos horas para comer, luego por la tarde salimos una hora más tarde que vosotros. Yo creo que es bueno que la gente pueda comer con la familia y desconectar un rato del trabajo. Así que yo no estoy dispuesto a poner dinero para algo que mi departamento no va a utilizar.

Leopoldo Anchón,
DIRECTOR DE INFORMÁTICA.

A mí esta reunión me parece una tontería, cocina sí o cocina no, es absurdo. Nosotros tenemos temas más urgentes e importantes. Necesitamos actualizar el sistema informático, cambiar algunos ordenadores e impresoras, en mi departamento hay que cambiarlos todos. Y pensar qué podemos hacer para aumentar las ventas y ganar a la competencia. Así que me voy, llamadme cuando queráis hablar de cosas serias.

Ricardo Aparicio,
DIRECTOR GENERAL

Leopoldo, quédate por favor, y tranquilízate. Todos los temas son importantes, si los trabajadores no están a gusto eso acabará repercutiendo en los resultados de la empresa. ¿Por qué no intentamos ver las posibilidades que tenemos? Alicia, ¿puedes decirnos qué cantidad de dinero podríamos destinar a hacer estas obras de la cocina? Y tú, Guillermo, ¿puedes ponerte en contacto con empresas que hacen reformas para que nos hagan un presupuesto? Lo importante es que entendamos que es necesaria la colaboración de todos los departamentos.

Alicia Ruiz, DIRECTORA FINANCIERA.

Nosotros también paramos una hora pero vamos a comer a "Casa Emilio". Se come muy bien allí. Y como vamos siempre a la misma hora ya nos tienen una mesa preparada y va muy rápido. Hombre, no sé, quizá si tuviéramos una cocina la gente se traería la comida, pero no sé... tampoco me parece que sea tan necesario, y tenemos que analizar si este es un buen momento para aumentar los gastos.